A ESCADA PARA O TRIUNFO

NAPOLEON HILL

Título original: *The Magic Ladder to Success*

A escada para o triunfo

3ª edição: Novembro 2019

Autor:
Napoleon Hill

Tradução:
Fernanda Junges

Preparação de texto:
Lúcia Brito

Projeto gráfico:
Dharana Rivas

DADOS INTERNACIONAIS DE CATALOGAÇÃO NA PUBLICAÇÃO (CIP)

H647e Hill, Napoleon
A escada para o triunfo / Napoleon Hill. – Porto Alegre : CDG, 2016.
208 p.

ISBN: 978-85-68014-28-8

1. Motivação. 2. Autorrealização. 3. Sucesso pessoal. 4. Autoajuda.
5. Psicologia aplicada. I. Título.

CDD - 131.3

Produção editorial e distribuição:

CITADEL
Grupo Editorial

contato@citadeleditora.com.br
www.citadeleditora.com.br

NOTA DA EDITORA

Esta é uma publicação oficial da Fundação Napoleon Hill. É uma reedição de *The Magic Ladder to Success*, livro originalmente lançado em 1930 por Napoleon Hill. A presente edição foi relançada pela fundação em 2013 atendendo a pedidos de seguidores da filosofia de Napoleon Hill. *The Magic Ladder to Success* é um resumo de *The Law of Success,* lançado no Brasil pela Citadel Editora como *O manuscrito original – As leis do triunfo e do sucesso de Napoleon Hill.*

Como tradução, *A escada para o triunfo* apresenta inevitáveis alterações exigidas pelas diferenças de idioma, mas preserva o conteúdo e o estilo. A linguagem pode às vezes soar antiquada, mas os princípios permanecem totalmente válidos e atuais — e esse é o motivo do quase um século de tremendo sucesso de Napoleon Hill. Alguns comentários sobre ciência, sociedade e comportamento estão ultrapassados, mas o leitor deve ter claro que Napoleon Hill era um homem moderno em seu tempo, defensor da igualdade de direitos e oportunidades para homens e mulheres de todas as raças e religiões.

Boa leitura. E sucesso!

NAPOLEON HILL

Não temo nada, exceto o inferno terreno chamado pobreza.
Estou dedicando minha vida a ajudar milhões de pessoas
a vencer esse adversário.

A ESCADA PARA O TRIUNFO

Este livro apresenta de forma bastante condensada os dezessete fatores a partir dos quais a filosofia da Lei do Sucesso evoluiu. Essa filosofia representa tudo que os homens mais bem-sucedidos que já viveram aprenderam sobre a obtenção de sucesso em praticamente todos os tipos de empreendimento. Sua compilação custou uma fortuna, para não falar da melhor parte da vida de esforço do autor.

NAPOLEON HILL

Autor da *Lei do Sucesso,* uma obra mais extensa, originalmente lançada em oito volumes (no Brasil, publicada pela Citadel Editora como *O manuscrito original – As leis do triunfo e do sucesso de Napoleon Hill).*

CERTIFIQUE-SE DE DIZER AO MUNDO O QUE VOCÊ PODE FAZER, MAS PRIMEIRO MOSTRE!

Este livro é afetuosamente dedicado ao enorme exército de estudantes e amigos do autor ao redor do mundo que encontraram seu lugar no ambiente profissional com a filosofia da Lei do Sucesso apresentada de modo resumido nestas páginas.

Em especial, o autor gostaria de expressar aqui sua gratidão àqueles fiéis estudantes que o encorajaram durante os anos de pobreza e dificuldade que teve de enfrentar enquanto a filosofia era elaborada.

Por fim, gostaria de homenagear a todos que, durante os anos de vacas magras, tentaram destruí-lo com escárnio e também os inimigos que recorreram a métodos mais violentos, armando-o, sem saber, com a determinação e a persistência para ver o trabalho concluído.

CONTEÚDO

Um curso de leitura baseado nos dezessete princípios da Lei do Sucesso

DECLARAÇÃO DO AUTOR

Estive envolvido na escrita desse livro durante quase um quarto de século. A tarefa não poderia ter sido executada em menos tempo por diversos motivos, entre eles o fato de que precisei entender, ao longo de anos de pesquisa, o que outros homens descobriram a respeito das causas do fracasso e do sucesso.

Outra razão importante para meu trabalho ter se estendido por tantos anos foi acreditar que era necessário provar que a filosofia da Lei do Sucesso funcionava para mim antes de oferecê-la a outros.

Nasci nas montanhas do Sul, em meio ao analfabetismo e à pobreza. As três gerações que me precederam, em ambos os lados da família, contentaram-se em viver nessas condições, e eu teria seguido os mesmos passos se minha madrasta não]tivesse plantado em mim a semente do desejo de superar os obstáculos. Há cerca de trinta anos, minha madrasta fez um comentário que encontrou lugar permanente em minha memória e ao qual pode ser atribuída a origem do meu trabalho, que resultou na conclusão da filosofia da Lei do Sucesso descrita neste livro.

Minha madrasta era uma mulher educada, de uma família com muita bagagem cultural. A pobreza e o analfabetismo a irritavam, e ela não hesitava em afirmar isso. Assumiu voluntariamente a tarefa de plantar ambição em nossa família, iniciando por meu pai, a quem mandou para a faculdade aos 40 anos de idade, enquanto ela gerenciava o que poderíamos chamar de "fazenda" e uma pequena loja que pertenciam à família, sem mencionar a assistência a cinco crianças – os três filhos dela, mais meu irmão e eu.

Seu exemplo causou um forte e duradouro efeito em mim. Por sua causa, formei minha primeira impressão sobre o valor de um *objetivo principal definido*; mais tarde essa impressão tornou-se tão óbvia e essencial como um dos fatores de sucesso que a coloquei em segundo lugar na lista dos dezessete princípios descritos neste livro.

Quando comecei a organizar o material para a Lei do Sucesso, não tinha a intenção de criar uma filosofia como a descrita neste volume. Meu objetivo inicial era aprender como outras pessoas haviam conquistado riqueza para poder seguir seus exemplos. Mas, com o passar dos anos, fiquei mais ávido por conhecimento do que por riqueza, até minha sede de conhecimento tornar-se tão grande que praticamente perdi de vista o motivo original de ganho financeiro que havia me lançado na busca pelo conhecimento.

Além da influência de minha madrasta, tive a sorte de conhecer Alexander Graham Bell e Andrew Carnegie, que não apenas me influenciaram a continuar a pesquisa, mas forneceram grande quantidade dos dados científicos que vieram a construir a filosofia da Lei do Sucesso. Mais tarde conheci Elmer Gates e muitos dos outros homens de reconhecida capacidade que menciono em outra página; estes homens não apenas me encorajaram a continuar construindo uma filosofia do sucesso, como deram o benefício de suas ricas experiências como contribuição pessoal ao meu trabalho.

Menciono esses detalhes por um motivo que acredito ser muito importante: a diferença entre sucesso e fracasso é muitas vezes (se não sempre) determinada por certas influências ambientais que geralmente podem ser atribuídas a *uma pessoa*. No meu caso, a pessoa foi minha madrasta. Não fosse a influência dela, eu nunca teria escrito a filosofia que atualmente presta serviço útil a dezenas de milhares de pessoas em cada país civilizado do planeta.

Infelizmente nunca serei capaz de precisar o número exato de pessoas que receberão, por meio do meu trabalho, a inspiração que as levará a grandes conquistas, mas sei, pelo que já vi nesse sentido, que o número será estupendo. Talvez não seja exagero dizer que pelo menos dez mil pessoas já encontraram nessa filosofia o caminho para o sucesso.

Enquanto a Lei do Sucesso estava no estágio experimental, transmiti-a pessoalmente em palestras para cerca de cem mil pessoas, como parte do meu plano de fazer um teste prático antes de publicá-la em livros. Sei que muitas que receberam o primeiro impulso de ambição nessas palestras ficaram ricas desde então, embora algumas possam ter perdido a pista da causa da sua prosperidade, enquanto outras talvez não sejam generosas o suficiente para admitir que meu trabalho tenha marcado momentos decisivos em suas vidas.

Minha crença de que essa filosofia está destinada a trazer prosperidade para um incalculável número de pessoas pelo mundo é baseada no que vi acontecer no passado e nos planos muito bem definidos que formulei para ensiná-la.

Espero muito em breve ter professores capacitados em todas as cidades dos Estados Unidos, conduzindo escolas com o objetivo de ensinar a Lei do Sucesso. Estou empenhado atualmente em formar professores e meu propósito é continuar esse trabalho. Para isso adquiri uma linda propriedade rural com mais de 240 hectares nas montanhas Catskill, a 160 quilômetros de Nova York, onde minha escola e minha sede ficarão localizadas. Meus professores serão recrutados entre estudantes da filosofia que demonstrarem por seus históricos uma aptidão fora do comum para esse tipo de trabalho.

A Lei do Sucesso será traduzida em diversos idiomas e ensinada em outros países. Um dos meus estudantes mais promissores, um produtor cinematográfico dotado de habilidades extraordinárias, está planejando a produção de uma série de filmes baseados nos textos didáticos da Lei do Sucesso. Com os filmes, ele plantará a semente dessa filosofia em milhões de mentes.

Muito além de meu programa de distribuição dos textos didáticos da Lei do Sucesso, existe outra razão que considero vital para essa filosofia estar destinada a ser uma parte importante da vida de um grande número de pessoas. Tenho conhecimento do estado de agitação que está se manifestando não só nos Estados Unidos, mas em todo o mundo. Desde a Primeira Guerra Mundial, milhões de pessoas foram atingidas pela ambição de vencer a pobreza e alcançar melhores posições na vida. Além disso, esta é definitivamente uma época de descobertas científicas, a base dos dezessete princípios da Lei do Sucesso, dando-lhe assim uma posição de que não desfrutava quinze anos atrás. Devido à agitação mundial predominante hoje, existe uma nítida demanda por um "evangelismo" do sucesso que inspire as pessoas com maiores esperanças e ambições de conquista pessoal.

Pelas razões aqui citadas, finalmente alcancei certa altitude na montanha da vida, de onde posso olhar para trás e ver os vales da luta, do sofrimento, da pobreza e do fracasso pelos quais passei com o sentimento de que não os vivi em vão, pois o castigo que sofri tem sido mais do que compensado pela alegria e prosperidade que ajudei outros a obter. Por outro lado, posso ver que o cume da montanha do sucesso ainda está longe de ser alcançado e que meu trabalho está apenas no início.

Não faz muito tempo, recebi a carta de um ex-presidente dos Estados Unidos me elogiando por permanecer fiel ao meu trabalho por um quarto de século e dizendo que eu deveria estar muito orgulhoso de ter chegado ao topo da montanha do sucesso a tempo de colher os frutos do meu trabalho. A carta me trouxe à mente a ideia de que uma pessoa nunca "chega" se continua a procurar pelo conhecimento, pois, assim que alcançamos o cume de uma montanha, descobrimos que existem outras montanhas ainda mais altas a serem escaladas.

Não, não "cheguei", mas encontrei felicidade em abundância e prosperidade financeira suficiente para as minhas necessidades unicamente por ter me perdido a serviço de outros que lutavam com afinco para encontrar a si mesmos. Parece digno mencionar que não prosperei muito até me preocupar em propagar a filosofia da Lei do Sucesso onde ela ajudaria outras pessoas a acumular dinheiro.

Assim, desculpando-me pelas referências pessoais, familiarizei-o com o motivo e a influência que fizeram com que eu começasse a organizar a filosofia descrita neste livro.

AGRADECIMENTOS

Este livro é o resultado da análise da vida profissional de mais de cem homens e mulheres que alcançaram sucesso extraordinário nas suas vocações e mais de vinte mil homens e mulheres classificados como "fracassos". O autor recebeu assistência valiosa durante os trabalhos de pesquisa e análise, tanto pessoalmente quanto pelo estudo da vida profissional, dos seguintes homens:

> A. D. Lasker, Alexander Graham Bell, Charles M. Schwab, Charles P. Stienmetz, Cyrus H. K. Curtis, Daniel T. Wright, Darwin P. Kingsley, Don R. Mellett, E. A. Filene, E. H. Harriman, E. M. Statler, E. W. Strickler, Edward W. Bok, Edwin C. Barnes, Elbert H. Gary, Elbert Hubbard, F. W. Woolworth, George Eastman, George S. Parker, George W. Perkins, Glenn Frank, Harris F. Williams, Harvey S. Firestone, Henry Ford, Henry L. Doherty, Hugh Chalmers, James J. Hill, John Burroughs, John D. Rockefeller, John H. Patterson, John W. Davis, John Wanamaker, Luther Burbank, M. Alexander, Marshall Field, O. H. Harriman, Robert L. Taylor, Rufus A. Ayers, Samuel Insull, Stuart Austin Wier, Theodore Roosevelt, Thomas A. Edison, Wilbur Wright, Willian H. French, Willian Howard Taft, Wrigley Jr., Woodrow Wilson.

Dos citados, talvez Henry Ford e Andrew Carnegie devam ser reconhecidos como os que mais contribuíram para a criação dessa filosofia. Carnegie foi quem inicialmente me sugeriu escrevê-la, e a vida profissional de Henry Ford forneceu muito do material utilizado e serviu para provar a solidez da filosofia.

Muitos dos homens que proporcionaram grande parte dos valiosos dados que construíram essa filosofia morreram antes de ela estar completa. Aos que ainda vivem, o autor agradece pelo serviço que prestaram, sem o qual essa filosofia nunca poderia ser concluída.

– O Autor

COMO LUCRAR COM A LEITURA DESTE LIVRO

A experiência com dezenas de milhares de pessoas que participaram das palestras do autor da Lei do Sucesso e com as milhares de pessoas que leram os oito textos didáticos nos quais a filosofia foi originalmente apresentada trouxe à tona o fato de que ela estimula a mente e gera o nascimento de muitas ideias. Enquanto ler este livro, você irá observar, assim como milhares de outros fizeram, que ideias irão aparecer em sua mente. Capture essas ideias com a ajuda de um bloco de notas e um lápis, já que podem levá-lo a alcançar seu cobiçado objetivo de vida.

Muitos estudantes dessa filosofia criaram valiosas invenções enquanto liam os textos didáticos da Lei do Sucesso. Clérigos foram inspirados a escrever sermões que os alçaram a um alto grau de eloquência. A Lei do Sucesso é um fertilizador de mentes e funciona como um ímã que atrai ideias brilhantes.

O valor deste livro não está apenas em suas páginas, mas na reação que você terá ao lê-las. Qualquer cérebro capaz de ter novas ideias em abundância é capaz também de deter grande poder. O objetivo principal da Lei do Sucesso é estimular as faculdades imaginativas do cérebro para que criem facilmente novas e úteis ideias para qualquer emergência na vida.

Leia este livro com um lápis na mão e, enquanto lê, sublinhe as afirmações que fazem com que novas ideias apareçam em sua mente. Esse método servirá para fixar as ideias de modo permanente em sua memória. Você não conseguirá assimilar todo o tema dessa filosofia em uma única leitura. Leia muitas vezes e adquira o hábito de destacar as linhas que provoquem novas ideias a cada leitura.

Esse procedimento revelará um dos maiores mistérios da mente humana, apresentando-o a uma fonte de conhecimento que não pode ser descrita adequadamente por ninguém, a não ser por aqueles que a descobriram por si. Nessa afirmação existe uma dica sobre a natureza do segredo que a Lei do Sucesso entregou a muitos de seus estudantes pelo mundo afora. Ninguém jamais poderá saber qual é o segredo exceto pelo método aqui descrito.

OS 17 FATORES DA LEI DO SUCESSO

O curso básico de leitura apresenta os princípios pelos quais o sucesso pode ser alcançado. Primeiro, vamos definir sucesso como "poder com o qual uma pessoa pode conquistar tudo o que deseja sem violar o direito de outros".

Os fatores pelos quais tal poder pode ser conquistado e usado em harmonia com a definição acima são dezessete:

1. MasterMind
2. Objetivo principal definido
3. Autoconfiança
4. Hábito de economizar
5. Imaginação
6. Iniciativa e liderança
7. Entusiasmo
8. Autocontrole
9. Fazer mais do que é pago para fazer
10. Personalidade agradável
11. Pensamento preciso
12. Cooperação

13. Concentração
14. Lucrar com o fracasso
15. Tolerância
16. Regra de Ouro
17. Hábito da saúde

O propósito deste curso é descrever como aplicar os dezessete princípios do sucesso a fim de adquirir poder pessoal suficiente para utilizar em qualquer situação e para a solução de todos os problemas econômicos. Vamos começar a descrição com uma análise completa de cada um dos dezessete princípios.

LIÇÃO I

MASTERMIND

O princípio do MasterMind pode ser definido como "uma mente composta por duas ou mais mentes individuais trabalhando em perfeita harmonia e com um objetivo definido em vista". Tenha em mente a definição de sucesso, que é obtido mediante a aplicação de *poder*, e você compreenderá mais rapidamente o significado do termo MasterMind, uma vez que se tornará imediatamente óbvio que um grupo de duas ou mais mentes trabalhando em harmonia e perfeitamente coordenadas originará poder em abundância.

Todo sucesso é alcançado pela aplicação de *poder*. O ponto de partida, porém, pode ser descrito como um *desejo ardente* pela conquista de um objetivo definido específico.

Assim como o carvalho, enquanto embrião, está adormecido dentro da bolota, o sucesso começa na forma de um intenso *desejo*. De grandes desejos crescem as forças motivacionais que fazem o homem cultivar esperanças, traçar planos, desenvolver coragem e que estimulam sua mente a um grau altamente intensificado de *ação* na busca de um objetivo definido.

Portanto, *desejo* é o ponto de partida de todas as conquistas humanas. Não existe nada antes do desejo, exceto os estímulos a partir dos quais um *desejo intenso* é transformado em chama ardente de *ação*. Esses estímulos são conhecidos e foram incluídos como parte da filosofia da Lei do Sucesso descrita neste livro.

Foi dito, não sem motivo, que uma pessoa pode ter o que quiser dentro de limites razoáveis desde que o desejo seja suficientemente forte. Qualquer um que seja capaz de estimular a mente a um estado de desejo é também capaz de conquistas acima da média na busca desse desejo. Você precisa lembrar que *esperar* algo não é o mesmo que *desejar* com tamanha intensidade que desse desejo cresçam forças impulsoras de ação que levem a fazer planos e colocar tais planos em prática. Esperar é apenas uma forma passiva de desejar. A maioria das pessoas nunca ultrapassa o estágio do "esperar".

As forças motivacionais básicas que fundamentam todas as ações humanas

Existem oito forças motivacionais básicas que são o ponto de partida de todas as conquistas humanas notórias. São elas:

1. O impulso de autopreservação;
2. O desejo de contato sexual;
3. O desejo de ganhos financeiros;
4. O desejo de vida após a morte;
5. O desejo de fama, de ter poder;
6. A necessidade de amor (separada e distinta do impulso sexual);
7. O desejo de vingança (predominante nas mentes menos desenvolvidas);
8. O desejo de satisfazer o ego.

Os homens fazem uso de grande força apenas quando encorajados por um ou mais desses oito motivos básicos. As forças imaginativas da mente humana tornam-se ativas apenas quando incitadas pelo estímulo de um *motivo* bem definido. Os mestres em venda descobriram que toda a arte de vender baseia-se no apelo a um ou mais dos oito motivos básicos que impulsionam homens e mulheres a agir. Sem essa descoberta, ninguém se tornaria um mestre em vendas.

O que é a arte de vender? É a apresentação de uma ideia, plano ou sugestão que dá ao futuro comprador um forte motivo para realizar a compra. O vendedor capacitado nunca pede ao comprador que efetue a aquisição sem apresentar um *motivo bem definido* pelo qual a compra deve ser feita.

O conhecimento da mercadoria ou do serviço oferecido pelo vendedor não é suficiente por si só para formar um mestre em vendas. A oferta deve ser acompanhada por uma minuciosa descrição do motivo que deve impelir o comprador a efetuar a aquisição. O plano de vendas mais efetivo é aquele que apela ao maior número dos oito motivos básicos e os transforma em um *desejo ardente* pelo objeto oferecido.

☙

Os oito motivos básicos não servem apenas como base de apelo a outras mentes quando a ação cooperativa é solicitada; servem também como ponto de partida da ação na mente do indivíduo. Homens de capacidade comum tornam-se super-homens quando provocados por um estímulo interno ou externo que mobiliza um ou mais dos oito motivos básicos para a ação.

Coloque um homem face a face com a possibilidade de morrer, em uma emergência repentina, e ele desenvolverá força física e estratégia imaginativa das quais não seria capaz sob a influência de um motivo menos urgente.

Quando guiados pelo desejo natural de contato sexual, os homens criam planos, usam estratégias, desenvolvem a imaginação e entram em ação de mil maneiras diferentes, coisas das quais não seriam capazes sem o impulso desse desejo.

O desejo de ganho financeiro muitas vezes eleva homens de capacidade medíocre a posições de grande poder, pois esse desejo os leva a planejar, desenvolver a imaginação e entrar em ação de maneira que não fariam não fosse pelo motivo de ganho.

O desejo de fama e de poder pessoal sobre os outros é facilmente perceptível como a principal força motivadora na vida de grandes líderes em cada setor da vida.

O animalesco desejo de vingança costuma levar homens a elaborar os mais intrincados e geniais planos para atingir seus objetivos.

O amor pelo sexo oposto (e às vezes pelo mesmo sexo) serve como um estimulante da mente que leva homens a níveis quase inacreditáveis de realização.

O desejo de vida após a morte é um motivador tão forte que não apenas leva homens aos extremos construtivo e destrutivo na busca de um plano que possa proporcionar essa perpetuação, como também leva ao desenvolvimento de habilidades de liderança altamente eficazes, evidência que pode ser encontrada na vida profissional de praticamente todos os fundadores de religiões.

Se você quer conquistar grande sucesso, plante em sua mente um forte motivo.

Milhões de pessoas lutam todos os dias de suas vidas sem nenhum motivo mais forte do que aquele de serem capazes de suprir as necessidades básicas, como alimento, moradia e vestuário. De vez em quando um homem sai das fileiras desse grande exército e exige de si mesmo e do mundo mais do que um simples ganha-pão. Ele motiva a si mesmo com um forte *desejo* de fortuna, e, como em um passe de mágica, sua situação financeira muda, e ele começa a transformar suas ações em dinheiro.

Poder e sucesso são sinônimos. O sucesso não é alcançado apenas com honestidade, como alguns nos fizeram acreditar. Os asilos estão cheios de pessoas que talvez fossem bem honestas. Elas falharam em acumular dinheiro porque lhes faltou o conhecimento de como adquirir e utilizar o *poder*.

O princípio MasterMind descrito nesta lição é o meio pelo qual todo o poder pessoal é aplicado. Por essa razão, todos os estimulantes conhecidos e todos os motivos básicos que inspiram ação em todas as atividades humanas foram mencionados neste capítulo.

As duas formas de poder

Existem duas formas de poder que iremos analisar nesta lição. Uma é o poder mental, adquirido pelo processo de pensamento. É expresso por planos de ação definidos, como resultado de conhecimento organizado. A capacidade de pensar, planejar e agir conforme um procedimento bem organizado é o ponto de partida de todo o poder mental.

A outra forma de poder é física. É expressa pelas leis naturais na forma de energia elétrica, gravitação, pressão de vapor, etc. Nesta lição analisaremos ambas as formas de poder, mental e físico, e explicaremos a relação que existe entre elas.

Conhecimento por si só não é poder. Grande poder pessoal é adquirido apenas mediante a cooperação harmoniosa de um número de pessoas que concentram seus esforços em algum plano definido.

A natureza do poder físico

O estágio de desenvolvimento conhecido como "civilização" nada mais é do que a medida de conhecimento que a raça humana acumulou. Entre o conhecimento útil organizado pelo homem estão os mais de oitenta elementos físicos que compõem todas as formas materiais existentes no universo.

Por meio de estudos, análises e medições precisas, o homem descobriu a grandeza do lado material do universo, representado por planetas, sóis e estrelas, alguns dos quais mais de um milhão de vezes maiores do que o pequeno planeta em que vivemos.

Por outro lado, o homem descobriu a pequenez das formas físicas que constituem o universo, reduzindo os mais de oitenta elementos físicos a moléculas, átomos, e finalmente à menor partícula, o elétron. Um elétron não pode ser visto; nada mais é do que um núcleo de força que pode ser positivo ou negativo. O elétron é o começo tudo de natureza física.

Moléculas, átomos e elétrons

Para entender o processo pelo qual o conhecimento é acumulado, organizado e classificado, parece essencial que o estudante inicie pelas menores e mais simples partículas da matéria física, pois são a matéria-prima com a qual a natureza construiu toda a porção física do universo. A molécula consiste em átomos, definidos como partículas invisíveis de matéria que giram continuamente na velocidade da luz, exatamente sob o mesmo princípio da Terra a girar ao redor do próprio eixo.

As pequenas partículas de matéria conhecidas como átomos, que giram em circuito contínuo na molécula, são compostas por elétrons, as menores partículas de matéria física. Como já dito, o elétron nada mais é do que duas formas de força. Ele é uniforme, de apenas uma classe, tamanho e natureza. Assim, em um grão de areia ou em um pingo d'água está duplicado todo o princípio pelo qual o universo inteiro opera.

É estupendo! Você pode ter uma ligeira ideia da magnitude disso da próxima vez que fizer uma refeição, lembrando que cada porção de comida que come, o prato onde come, os talheres e a própria mesa são, em última análise, apenas uma coleção de elétrons.

No mundo da matéria física, quer se olhe para a maior estrela no firmamento ou o menor grão de areia que se possa encontrar sobre a Terra, o objeto em observação nada mais é do que um conjunto organizado de moléculas, átomos e elétrons girando a uma velocidade inconcebível.

Toda partícula de matéria física está em um estado contínuo de movimento altamente agitado. Nada está imóvel, mesmo que quase toda a matéria física assim pareça aos nossos olhos. Não existe matéria física "sólida". O pedaço mais duro de aço é apenas uma massa organizada de moléculas, átomos e elétrons a girar. Além disso, os elétrons em um pedaço de aço são da mesma natureza e se movem na mesma velocidade que os elétrons do ouro, da prata, do bronze ou do estanho.

As mais de oitenta formas de matéria física parecem diferentes entre si, e de fato são, por serem compostas por diferentes combinações de átomos (embora os elétrons desses átomos sejam sempre os mesmos, exceto que alguns são positivos e alguns são negativos, o que significa que alguns carregam uma carga elétrica positiva e outros, uma carga negativa).

Por meio da ciência da química, a matéria pode ser quebrada em átomos imutáveis. Os mais de oitenta elementos resultam da combinação e da mudança de posição dos átomos. Para ilustrar o *modus operandi* da química pela qual a mudança de posição atômica é forjada, segue um exemplo nos termos da ciência moderna: "Adicione quatro elétrons (dois positivos e dois negativos) ao átomo de hidrogênio e você terá um átomo de lítio; retire do átomo de lítio (composto por três elétrons positivos e três negativos) um elétron negativo e um positivo, e terá um átomo de hélio (composto por dois elétrons negativos e dois positivos)".

Assim, podemos ver que os mais de oitenta elementos físicos do universo diferem entre si apenas pelo número de elétrons compondo seus átomos e pelo número e disposição desses átomos nas moléculas de cada elemento.

Como ilustração, um átomo de mercúrio contém oitenta cargas positivas (elétrons) em seu núcleo e oitenta cargas negativas periféricas (elétrons). Se um químico retirasse dois elétrons positivos e dois negativos, o átomo se tornaria imediatamente o metal conhecido como platina. Se fossem retirados um elétron negativo e um positivo, o átomo manteria 79 cargas positivas no núcleo e 79 elétrons negativos periféricos, tornando-se ouro!

A fórmula por meio da qual essa mudança pode ser produzida tem sido objeto de pesquisa diligente dos alquimistas ao longo dos séculos e dos químicos modernos de hoje.

É fato conhecido por todos os químicos que literalmente dezenas de milhares de substâncias sintéticas podem ser criadas por apenas quatro tipos de átomos: hidrogênio, oxigênio, nitrogênio e carbono.

O elétron é a partícula universal com a qual a natureza constrói todas as formas de matéria, desde um grão de areia até a maior estrela no espaço. É o "bloco de construção" da natureza, com o qual ela ergue um carvalho ou um pinheiro, uma rocha de granito ou arenito, um rato ou um elefante.

Alguns dos maiores pensadores deduziram que o planeta em que vivemos e todas as partículas de matéria que o compõem tiveram início com dois átomos que se ligaram e, durante centenas de milhões de anos, continuaram atraindo e acumulando outros átomos até a Terra ser formada. Isso, dizem eles, explicaria os vários diferentes estratos de substâncias do planeta, como os leitos de carvão, os depósitos de minério de ferro, de ouro, de prata, de cobre, etc.

Eles entendem que, enquanto a Terra girava através do espaço, ligou-se a vários grupos de nebulosas, o que é prontamente explicado pela lei da atração magnética. Existe muito a ser visto na composição da superfície do planeta para apoiar essa teoria, embora possa não existir evidência positiva da sua solidez.

Esses fatos relativos à menor parte analisável da matéria foram brevemente referidos como ponto de partida para determinar como desenvolver e aplicar o *poder*.

Foi observado que toda matéria está em constante estado de vibração ou movimento, que a molécula é composta por partículas chamadas átomos, que se movem rapidamente, e que os átomos, por sua vez, são compostos por partículas chamadas elétrons, que também se movem rapidamente.

O PRINCÍPIO VIBRATÓRIO DA MATÉRIA

Em cada partícula de matéria existe uma força invisível que faz com que os átomos se movam em torno um do outro a uma velocidade inconcebível. Essa forma de energia nunca foi analisada, e até o presente momento confunde todo o mundo científico. Muitos cientistas acreditam que seja a mesma energia que chamamos de eletricidade, outros preferem chamá-la de vibração. Alguns pesquisadores acreditam que a taxa de velocidade em que essa força se move (independentemente de como seja chamada) determina a natureza do objeto físico no universo.

Uma determinada taxa de vibração causa o que conhecemos por som. O ouvido humano pode detectar apenas o som produzido a uma taxa entre 32 e 38 mil vibrações por segundo.

À medida que a taxa de vibração aumenta e ultrapassa o que chamamos de som, começa a se manifestar na forma de calor. O calor começa em cerca de 1,5 milhão de vibrações por segundo.

Subindo mais a escala, as vibrações começam a se registrar na forma de luz. Três milhões de vibrações por segundo criam a luz ultravioleta;

acima disso, as vibrações emitem raios ultravioleta (invisíveis a olho nu) e outras radiações invisíveis.

E ainda mais acima na escala – ninguém parece saber o quanto mais alto neste momento –, as vibrações criam o poder com o qual o homem *pensa*.

Este autor acredita que a porção de vibração da qual surgem todas as formas conhecidas de energia é universal na natureza, que a porção "fluida" do som é a mesma porção "fluida" da luz e que a diferença entre som e luz é apenas a diferença da taxa de vibração, assim como a porção "fluida" do pensamento é exatamente a mesma do som, do calor e da luz, exceto pelo número de vibrações por segundo. Assim como existe apenas uma forma de matéria física da qual a Terra e todos os outros planetas, sóis e estrelas são compostos – o elétron –, também existe apenas uma forma de energia "fluida" que faz com que toda a matéria permaneça em constante estado de rápido movimento.

Ar e éter

O vasto espaço entre sóis, luas, estrelas e planetas do universo é preenchido com uma forma de energia conhecida como éter. É crença deste autor que a energia "fluida" que mantém todas as partículas de matéria em movimento é a mesma conhecida como éter, que preenche todo o espaço do universo. Dentro de certa distância da superfície da Terra, que alguns estimam ser de cerca de oitenta quilômetros, existe o que chamamos de ar, uma substância gasosa composta por oxigênio e nitrogênio. O ar é condutor de vibrações sonoras, mas não é condutor de vibrações luminosas e outras vibrações mais elevadas conduzidas pelo éter. O éter é condutor de todas as vibrações, do som ao pensamento.

O ar é uma substância localizada que realiza principalmente a tarefa de alimentar toda a fauna e flora com oxigênio e nitrogênio, sem os quais nenhuma das duas existiria. O nitrogênio é uma das principais necessidades da vida vegetal, e o oxigênio é o alicerce da vida animal. Próximo ao topo de montanhas muito altas, o ar se torna muito rarefeito porque contém pouco nitrogênio, o que impossibilita a existência de vida vegetal a grandes altitudes. Por outro lado, o ar "leve" encontrado em maiores altitudes consiste amplamente de oxigênio, sendo o principal motivo para pacientes tuberculosos serem enviados para grandes altitudes.

☙

Mesmo essa breve declaração sobre moléculas, átomos, elétrons, ar, éter e outras coisas pode ser uma leitura cansativa, mas, como veremos em seguida, essa introdução tem papel essencial na fundação da filosofia do sucesso.

Não se desencoraje se a descrição desse fundamento parece não ter os efeitos de suspense de um conto de ficção moderno. Você está prestes a descobrir quais são seus poderes disponíveis e como organizar e aplicar tais poderes. Para completar a descoberta com sucesso, você terá que combinar determinação, persistência e um *desejo* bem definido de acumular e organizar conhecimento.

A natureza do poder mental

O falecido Alexander Graham Bell, inventor do telefone de longa distância e uma das autoridades reconhecidas no tema da vibração, é aqui apresentado em apoio às declarações deste volume relacionadas à vibração, base de todo o poder mental e de todo o pensamento:

> Suponha que você tenha o poder de fazer uma barra de ferro vibrar em qualquer frequência desejada em uma sala escura. No início, enquanto vibra lentamente, o movimento será percebido apenas por um sentido: o tato. Assim que a vibração aumentar, um som

grave começará a emanar da barra e o movimento será percebido por dois sentidos.

Em cerca de 32 mil vibrações por segundo, o som será alto e agudo, mas, ao atingir quarenta mil vibrações por segundo, não haverá mais som, e os movimentos da barra não serão perceptíveis ao tato. Os movimentos não serão percebidos por nenhum dos sentidos humanos.

A partir deste ponto até 1,5 milhão de vibrações por segundo, não temos nenhum sentido que possa perceber qualquer efeito das vibrações. Depois desse estágio, o movimento é percebido por meio da temperatura e então, quando a barra torna-se vermelha, o movimento é percebido pelo sentido da visão. A três milhões de vibrações por segundo, a barra emana luz ultravioleta e acima disso emana raios ultravioleta e outras radiações invisíveis, algumas das quais podem ser captadas por instrumentos e empregadas por nós.

Agora me ocorreu que deve haver algo grandioso a ser aprendido sobre o efeito dessas vibrações no grande intervalo onde os sentidos humanos comuns não são capazes de ouvir, ver ou sentir o movimento. O poder de enviar mensagens sem fio pelas vibrações do éter encontra-se nesse intervalo, mas o intervalo é tão grande que parece que deve haver muito mais. É preciso criar máquinas para prover novos sentidos, assim como os instrumentos sem fio fazem.

Quanto a esse grande intervalo, não será possível afirmar que existam muitas outras formas de vibração que possam nos dar resultados tão maravilhosos quanto as ondas sem fio, ou até mais maravilhosos? Parece-me que nesse intervalo encontram-se as vibrações que assumimos ser emitidas por nosso cérebro e células nervosas quando pensamos. Mas elas também podem estar mais acima na escala, além das vibrações que produzem os raios ultravioleta. (Nota do autor: a última frase sugere a teoria defendida por este autor.)

Precisaremos de um fio para transmitir essas vibrações? Passarão elas pelo éter sem fios, assim como as ondas sem fio? Como serão percebidas pelo receptor? Ele ouvirá uma série de sinais ou perceberá que os pensamentos de outro homem entraram no seu cérebro?

Podemos nos entregar a algumas especulações com base no que sabemos sobre as ondas sem fio, que, como já disse, são tudo o que podemos reconhecer de uma vasta série de vibrações que, em teoria, devem existir. Se as ondas do pensamento são similares às ondas sem fio, devem passar do cérebro e fluir infinitamente pelo mundo e pelo universo. O corpo, o crânio e outras matérias sólidas não seriam obstáculos à sua passagem, pois passariam pelo éter que circunda as moléculas de todas as substâncias, não importando quão sólidas e densas.

Você está se questionando se não haveria constante interferência e confusão caso o pensamento de outras pessoas estivesse fluindo em nosso cérebro e nele configurando pensamentos que não se originaram em nós? Como saber se os pensamentos de outros homens não estão interferindo com os seus nesse momento?

Observei um bom número de fenômenos de perturbações mentais que nunca fui capaz de explicar. Por exemplo, a inspiração ou o desânimo que um orador sente ao enfrentar uma plateia. Passei por isso muitas vezes na vida e nunca fui capaz de definir exatamente a causa física.

Muitas descobertas científicas recentes, em minha opinião, apontam para o dia em que, em um futuro talvez não muito distante, homens lerão os pensamentos uns dos outros, pensamentos serão transmitidos diretamente de um cérebro a outro, sem intervenção

COLOCAR IDEIAS EM PRÁTICA É UM NEGÓCIO LUCRATIVO, MAS FAZ POUCA DIFERENÇA SE AS IDEIAS FORAM CRIADAS POR VOCÊ OU POR OUTRA PESSOA.

da fala, da escrita ou de qualquer outro método de comunicação conhecido atualmente.

Não é absurdo esperar por um tempo em que veremos sem os olhos, ouviremos sem os ouvidos e falaremos sem a língua.

Em resumo, a hipótese de que a mente pode se comunicar diretamente com outra mente baseia-se na teoria de que o pensamento ou força vital é uma forma de perturbação elétrica que pode ser captada por indução e transmitida à distância, seja por fios ou simplesmente pelo éter que tudo permeia, como as ondas telegráficas sem fio.

Existem muitas analogias que sugerem que o pensamento origina-se de uma perturbação elétrica. O nervo, que é da mesma matéria que o cérebro, é um excelente condutor de energia. Quando passamos corrente elétrica pela primeira vez através dos nervos de um homem morto, ficamos chocados e maravilhados ao vê-lo sentar-se e mover-se. Os nervos eletrificados contraem os músculos assim como quando em vida.

Os nervos parecem agir nos músculos de modo muito similar à corrente elétrica nos eletroímãs. A corrente magnetiza uma barra de ferro colocada no ângulo correto, e os nervos causam, por meio da intangível corrente de força vital que passa por eles, a contração das fibras musculares dispostas no ângulo correto.

Seria possível citar muitas razões pelas quais o pensamento e a força vital podem ser considerados da mesma natureza da eletricidade. A corrente elétrica é apontada como um movimento de onda do éter – o elemento hipotético que preenche todos os espaços e impregna todas as substâncias. Acreditamos que o éter deve existir, porque sem ele a corrente elétrica não poderia passar pelo vácuo, ou a luz do sol pelo espaço. É razoável acreditar que apenas um movimento de onda de um elemento similar possa produzir o fenômeno do pensamento e da força vital. Podemos presumir que as células do cérebro agem como uma bateria e que a corrente produzida flui ao longo dos nervos.

Mas será que termina ali? Será que ela não é transmitida para fora do corpo em forma de ondas que fluem ao redor do mundo, despercebida pelos nossos sentidos, assim como as ondas sem fio passavam despercebidas antes de Hertz e outros descobrirem sua existência?

Cada mente é uma estação transmissora e receptora

Este autor provou, pelo menos para si mesmo, que cada cérebro humano é uma estação transmissora e receptora de vibrações da frequência do pensamento. Se essa teoria se revelasse um fato e métodos de controle razoáveis fossem definidos, imagine o papel que isso teria no recolhimento, classificação e organização do conhecimento. A possibilidade, ainda mais a probabilidade de tal realidade, atordoa a mente humana.

Thomas Paine foi uma das grandes mentes do período revolucionário norte-americano. A ele, talvez mais do que a qualquer outra pessoa, devemos tanto o início como o final feliz da revolução, pois foi sua mente sagaz que ajudou a elaborar a Declaração de Independência e a persuadir os signatários de tal documento a traduzi-lo em realidade. Ao falar da fonte de sua grande bagagem de conhecimento, Paine assim a descreveu:

> Qualquer pessoa que tenha observado o progresso da mente humana observando a sua própria não pode deixar de ter percebido que existem dois tipos distintos do que chamamos de pensamento: aqueles que produzimos em nós mesmos mediante a reflexão e o ato de pensar e aqueles que surgem na mente por vontade própria. Sempre tive por regra tratar esses visitantes voluntários com civilidade, tendo o

> cuidado de examinar, tão bem quanto eu podia, se eram válidos. Foi deles que adquiri quase todo o conhecimento que tenho.
>
> Quanto à aprendizagem que qualquer pessoa recebe na educação escolar, serve apenas como um pequeno capital inicial para colocá-la no caminho de começar a aprender por si mais tarde. Cada pessoa letrada é, no final das contas, sua própria professora, uma vez que princípios não podem ser gravados na memória por serem de qualidade distinta das circunstâncias. Eles residem na compreensão e nunca são tão duradouros como quando começam pela concepção.

Nas palavras acima, Paine, o grande filósofo e patriota americano, descreveu um fenômeno que todas as pessoas experimentam em um momento ou outro. Quem é tão desafortunado para não ter obtido evidências positivas de que pensamentos e até ideias completas surgem na mente a partir de fontes externas?

Quais meios de transporte existem para tais visitantes (pensamentos) além do éter? O éter preenche o espaço ilimitado do universo e é o meio de transporte de todas as formas de vibração conhecidas, como som, luz e calor. Por que não seria também o meio de transporte das vibrações do pensamento?

Cada mente ou cérebro está diretamente conectado a todos os outros cérebros por meio do éter. Cada pensamento emitido por um cérebro pode ser instantaneamente captado e interpretado por todos os outros cérebros que estejam em sintonia com o emissor. Este autor tem tanta certeza disso quanto de que a fórmula química da água é H_2O.

A probabilidade de o éter ser o transmissor do pensamento de mente para mente não é o fator mais impressionante do seu desempenho. É crença deste autor que cada vibração de pensamento emitida por um cérebro é captada pelo éter e mantida em movimento em comprimentos de onda correspondentes à intensidade de energia utilizada na sua liberação, que essas vibrações permanecem em movimento para sempre, que são uma das duas fontes das quais emanam os pensamentos que surgem em nossa mente, sendo a outra o contato direto e imediato via éter com o cérebro que está liberando as vibrações do pensamento.

Assim, veremos que, se essa teoria se confirmar, o vazio infinito de todo o universo é e continuará sendo literalmente uma biblioteca onde podem ser encontrados todos os pensamentos liberados pela espécie humana. Com isso, o autor está lançando a base para uma das mais importantes hipóteses enumeradas neste capítulo.

De acordo com homens da ciência, a maior parte do conhecimento útil herdado pela espécie humana foi preservada e precisamente registrada na bíblia da natureza. Ao voltar as páginas dessa bíblia inalterada, o homem tem lido a história da fantástica batalha por meio da qual a atual civilização evoluiu. As páginas dessa bíblia são feitas dos mesmos elementos físicos que formam a Terra e os outros planetas e do éter que preenche todo o espaço.

Ao voltar as páginas escritas na pedra e escondidas perto da superfície deste planeta onde vivemos, o homem descobriu ossos, esqueletos, pegadas e outras inegáveis evidências da história da vida animal na Terra, ali plantadas para o seu esclarecimento e orientação pelas mãos da mãe natureza durante períodos de tempo inacreditáveis. A evidência é clara e inconfundível. As grandes e intermináveis páginas da bíblia da natureza, representadas pelo éter no qual todo o pensamento humano passado foi registrado, constituem uma autêntica fonte de comunicação entre o Criador e o homem. Essa bíblia começou a ser escrita antes de o homem atingir a fase de ser pensante.

Essa bíblia está além do poder dos homens para ser alterada. Além disso, conta a história em um idioma universal, que todos que possuem olhos podem ler. A bíblia da natureza, de onde deduzimos todo o conhecimento que vale a pena saber, é algo que nenhum homem pode alterar ou influenciar de alguma maneira.

A descoberta mais maravilhosa já feita pelo homem é o recém-descoberto princípio do rádio, que opera com o auxílio do éter. Imagine o éter captando a frequência sonora e transformando-a (aumentando a taxa de vibração) em uma frequência de rádio, levando-a até uma estação receptora adequadamente sintonizada e lá transformando-a novamente em sua forma original de frequência sonora, tudo isso em um piscar de olhos.

Ninguém deveria se surpreender se essa força pudesse captar a vibração do pensamento e mantê-la em movimento para sempre. O fato estabelecido e conhecido da transmissão instantânea do som via éter por meio do equipamento moderno de rádio remove a teoria da transmissão das vibrações de pensamento de mente para mente do possível para o provável.

MasterMind

Chegamos agora à próxima etapa da descrição das formas e meios pelos quais uma pessoa pode recolher, classificar e organizar conhecimento útil mediante uma aliança harmoniosa de duas ou mais mentes, das quais nasce um MasterMind. O termo MasterMind é abstrato e não tem contrapartida no campo dos fatos conhecidos, exceto para um pequeno número de pessoas que realizaram um cuidadoso estudo dos efeitos de uma mente sobre outras.

Este autor pesquisou em vão todos os textos e ensaios disponíveis sobre a mente humana, mas não encontrou em lugar algum qualquer referência ao princípio aqui descrito como MasterMind. O termo capturou a atenção do autor pela primeira vez durante uma entrevista com Andrew Carnegie, da forma descrita em outro capítulo.

A química da mente

É crença deste autor que a mente é formada pela mesma energia que constitui o éter que preenche o universo. É fato conhecido tanto pelo leigo quanto pelo cientista que algumas mentes colidem assim que entram em contato uma com a outra. Entre os dois extremos do antagonismo e da afinidade natural que surgem do encontro de duas mentes, existe uma ampla gama de reações que variam de mente para mente.

Algumas mentes adaptam-se com tanta naturalidade uma à outra que o "amor à primeira vista" é um resultado inevitável do contato. Quem nunca teve essa experiência? Em outros casos, as mentes são tão antagônicas entre si que uma violenta antipatia mútua aparece no primeiro encontro. Esses resultados acontecem sem que sequer uma palavra seja dita e sem o menor sinal aparente de que tenha ocorrido alguma das causas habituais que podem gerar amor ou ódio.

É muito provável que a "mente" seja feita de uma substância ou energia, chame como quiser, similar ao éter (se não da mesma substância). Quando duas mentes chegam perto o suficiente uma da outra para estabelecer contato, a mistura das unidades de "material mental" (vamos chamá-lo de elétrons do éter) estabelece uma reação química e desencadeia vibrações que afetam os dois indivíduos de forma agradável ou desagradável.

O efeito do encontro de duas mentes é óbvio até mesmo para o observador mais casual. Todos os efeitos têm uma causa. O que poderia ser mais racional do que suspeitar que a causa para a mudança de atitude entre duas mentes que acabaram de entrar em contato nada mais é do que a perturbação dos elétrons de cada mente no processo de reorganização ao novo campo criado pelo encontro?

Com o propósito de estabelecer essa filosofia sobre uma base sólida, percorremos um longo caminho em direção ao sucesso admitindo que o encontro ou a aproximação de duas mentes estabelece em cada uma um certo "efeito" ou estado mental notável bem diferente do que existia imediatamente antes do contato. Apesar de desejável, não é essencial saber qual a "causa" da reação de uma mente sobre a outra. É fato conhecido que a reação acontece em todos os casos, o que nos dá um ponto de partida para demonstrar o que pretendemos pelo termo MasterMind.

Um MasterMind pode ser criado pela reunião ou mistura de duas ou mais mentes em espírito de perfeita harmonia. Dessa mistura harmoniosa, a química mental cria uma terceira mente que pode ser apropriada e usada por uma ou todas as mentes individuais. O MasterMind continuará disponível enquanto a aliança harmoniosa e amigável entre as mentes individuais existir. Ele se desintegrará e qualquer evidência de sua existência desaparecerá no momento em que a aliança se quebrar.

O princípio da química mental é a base e a causa de praticamente todos os chamados casos de "almas gêmeas" e "triângulos amorosos", muitos dos quais infelizmente acabam em divórcio e escárnio por gente ignorante e sem instrução que produz vulgaridade e escândalo a partir de uma das maiores leis da natureza. Todo o mundo civilizado sabe que os primeiros dois ou três anos de casamento são muitas vezes marcados por vários desentendimentos de natureza mais ou menos mesquinha. São os anos de "ajuste". Se o casamento sobrevive, está mais do que apto a se tornar uma aliança permanente. Mais uma vez vemos o "efeito" sem entender a "causa".

Embora existam outras causas, no essencial, a falta de harmonia durante os primeiros anos de casamento deve-se à lentidão da química das mentes em misturar-se de modo harmonioso. Dito de outra forma, os elétrons ou unidades da energia chamada "mente" em geral não são nem muito amigáveis nem muito antagônicos no primeiro contato, mas pela constante associação se adaptam gradualmente em harmonia, exceto nos raros casos onde a associação tem o efeito oposto de por fim desencadear franca hostilidade entre as unidades.

É fato bem conhecido que, depois de um homem e uma mulher terem convivido por dez ou quinze anos, tornam-se praticamente indispensáveis um ao outro, mesmo que não exista a menor evidência do estado mental chamado amor. Além disso, essa associação e o relacionamento sexual não apenas desenvolvem uma afinidade natural entre as duas mentes, como, na verdade, fazem com que as duas pessoas adquiram expressões faciais similares e se pareçam uma com a outra em muitos outros aspectos. Qualquer analista da natureza humana competente pode ir ao encontro de uma multidão de pessoas estranhas e localizar com facilidade a esposa depois de ter sido apresentado ao seu marido. A expressão dos olhos, os contornos do rosto e o tom de voz das pessoas casadas há bastante tempo se tornam similares em grau considerável.

Tão marcante é o efeito da química da mente humana que qualquer orador experiente pode interpretar rapidamente a maneira como suas afirmações são recebidas pela audiência. A oposição na mente de uma única pessoa entre um público de mil pode ser rapidamente detectada por um orador que aprendeu como "sentir" e registrar os efeitos do antagonismo. Além disso, o orador pode fazer essas interpretações sem observar ou ser influenciado pelas expressões faciais do público. Por causa disso, uma plateia pode fazer com que o orador atinja grandes alturas de eloquência ou provocar o seu fracasso sem emitir som ou demonstrar uma única expressão de satisfação ou reprovação pelos movimentos faciais.

Todos os "mestres em venda" sabem quando chega o "momento psicológico para o fechamento", não pelo que o comprador potencial diz, mas pelo efeito de sua química mental, interpretada ou "sentida" pelo vendedor. As palavras muitas vezes contradizem as intenções daquele que as pronuncia, mas uma correta interpretação da química mental não deixa margem para tal possibilidade. Todos os vendedores experientes sabem que a maioria dos compradores tem o hábito de mostrar uma atitude negativa até quase o clímax da venda.

Todo advogado experiente desenvolve um sexto sentido com o qual é capaz de "sentir" quando palavras artisticamente selecionadas são utilizadas pela testemunha que está mentindo e interpretar corretamente o que está na mente da testemunha por meio da química mental. Muitos advogados desenvolvem essa habilidade sem saber qual a verdadeira fonte. Dominam a técnica sem ter o conhecimento científico no qual ela se baseia. Muitos vendedores fazem a mesma coisa.

Uma pessoa abençoada com a arte de interpretar corretamente a química da mente dos outros pode, figurativamente falando, entrar pela porta da frente da mansão de uma dada mente e explorar calmamente todo o edifício, notar todos os detalhes e sair com uma imagem completa do interior do prédio sem o dono saber que acabou de entreter um visitante. Será observado, no capítulo "Pensamento preciso", que esse princípio pode ser colocado em uso de forma muito prática (tendo como referência o princípio da química mental).

Já foi dito o suficiente para introduzir o princípio da química mental e para provar, com a ajuda das experiências cotidianas e das observações casuais do leitor, que, no momento em que duas mentes estão ao alcance uma da outra, uma mudança notável ocorre em ambas, registrando-se às vezes na forma de antipatia e às vezes na forma de simpatia. Todas as mentes têm o que poderia ser chamado de campo elétrico. A natureza do campo varia, dependendo do "humor" da mente individual por trás dele e da natureza química da mente criadora do "campo".

Este autor acredita que a condição normal ou natural da química de qualquer mente individual é o resultado da soma da sua herança física com a natureza dos pensamentos dominantes daquela mente e que cada mente está mudando continuamente na medida em que a filosofia e os hábitos de pensamento gerais do indivíduo mudam a química de sua mente. Esses princípios o autor *acredita* serem verdadeiros. Que qualquer indivíduo pode voluntariamente mudar sua química mental de maneira que atraia ou afaste todos com quem entrar em contato é um fato conhecido. Dito de outra forma, qualquer pessoa pode assumir uma atitude mental que atrai e satisfaz ou afasta e antagoniza sem a ajuda de palavras, expressões faciais ou outras formas de movimento corporal ou comportamento.

Volte agora à definição de MasterMind — uma mente que surge da mistura e coordenação de duas ou mais mentes *em um espírito de perfeita harmonia* – e você entenderá o significado completo da palavra "harmonia" conforme utilizada aqui. Duas mentes não irão se combinar nem se coordenar a menos que o elemento da perfeita harmonia esteja presente, residindo aí o segredo do sucesso ou do fracasso de praticamente todas as parcerias empresariais e sociais.

Todo gerente de vendas, todo comandante militar e todo líder em qualquer outro setor da vida entende a necessidade de um *esprit de corps* — um espírito de entendimento comum e cooperação – na obtenção do sucesso. Esse espírito de harmonia de propósitos é obtido com disciplina, voluntária ou forçada, de tal natureza que a mente do indivíduo se incorpora ao MasterMind, o que quer dizer que a química das mentes individuais é modificada de tal maneira que elas se fundem e funcionam como uma só.

Os métodos por meio dos quais o processo de "fusão" acontece são tão numerosos quanto os indivíduos comprometidos nas várias formas de liderança. Cada líder tem um método próprio de coordenar as mentes dos seguidores. Alguns utilizam a força; outros, a persuasão. Alguns jogam com o medo de penalidades; outros, com a possibilidade de recompensas a fim de reduzir as mentes individuais de um dado grupo de pessoas até o ponto em que possam ser fundidas em uma única mente coletiva. O estudante não precisará pesquisar a fundo na história da política, dos negócios ou das finanças para descobrir as técnicas utilizadas pelos líderes nesses campos no processo de fundir as mentes de indivíduos em uma mente coletiva.

Os maiores líderes do mundo, porém, são dotados pela natureza de uma combinação química mental favorável, que age como um núcleo de atração para outras mentes. Napoleão é um exemplo notável de homem possuidor de uma mente magnética com forte tendência a atrair todas as mentes com as quais entrava em contato. Os soldados seguiram Napoleão para a morte certa sem hesitar por causa da natureza motriz de sua personalidade, personalidade essa que não era nada mais nada menos do que o resultado da química de sua mente.

Nenhum grupo de mentes pode se fundir em um MasterMind se um dos indivíduos tiver uma mente extremamente negativa e repelente. Mentes negativas e positivas não se unem no sentido aqui descrito como MasterMind. A falta de conhecimento desse fato levou muitos líderes capacitados à derrota.

Qualquer líder que entenda o princípio da química mental pode temporariamente unir as mentes de praticamente qualquer grupo de pessoas, de maneira que representará uma mente coletiva, mas a composição se desintegrará quase no mesmo momento em que o líder não estiver mais presente. As organizações de venda de seguros de vida mais bem-sucedidas se reúnem uma vez por semana ou mais com o propósito de incorporar as mentes individuais em um MasterMind que servirá de estímulo para as mentes individuais por um número limitado de dias. Pode ser verdade, e geralmente é, que os líderes desses grupos não entendam o que de fato acontece nos encontros, que em geral têm palestras do

NÃO É ESTRANHO NÃO ENCONTRARMOS EM PARTE ALGUMA DA HISTÓRIA O REGISTRO DE UM HOMEM QUE TENHA ALCANÇADO A GRANDEZA POR MEIO DE FRAUDE, TRAPAÇA E TRAIÇÃO DOS PARCEIROS DE NEGÓCIO?

líder e outros membros, enquanto as mentes dos indivíduos "contatam" e recarregam umas às outras.

O cérebro do ser humano pode ser comparado a uma bateria elétrica no sentido de que se esgota ou enfraquece, deixando o dono desanimado, desencorajado e sem "pique". Quem é tão afortunado a ponto de nunca ter se sentido assim? Quando nessa condição empobrecida, o cérebro humano deve ser recarregado, e isso é feito é pelo contato com uma ou mais mentes vibrantes. Os grandes líderes entendem a necessidade do processo de "recarga"; além disso, sabem como atingir tal resultado. Esse conhecimento é a principal característica que distingue um líder de um seguidor. Privilegiada é a pessoa que entende esse princípio bem o bastante para manter sua mente vitalizada ou "recarregada" mediante contatos periódicos com mentes mais vibrantes.

O contato sexual é um dos estímulos mais efetivos com que uma mente pode se recarregar, desde que feito de forma inteligente entre um homem e uma mulher com legítima afeição um pelo outro. Qualquer outro tipo de relação sexual enfraquece a mente.

Antes de encerrar a breve referência ao contato sexual como meio de revitalizar a mente exaurida, parece apropriado chamar a atenção para o fato de que todos os grandes líderes em quaisquer esferas da vida têm sido e são pessoas de natureza altamente sexual. (A palavra "sexo" é decente, você a encontrará em todos os dicionários.)

Existe uma tendência crescente de parte dos médicos mais informados e de outros profissionais da área da saúde em aceitar a teoria de que todas as doenças iniciam-se quando o cérebro está em condição debilitada ou desvitalizada. Dito de outra forma, é fato conhecido que uma pessoa com um cérebro perfeitamente vitalizado é praticamente, se não inteiramente, imune a qualquer tipo de doença.

Todos os profissionais de saúde inteligentes, de qualquer tipo ou escola, sabem que a "natureza", ou a mente, cura doenças em todos os casos onde uma cura é necessária. Remédios, fé, imposição de mãos, quiropraxia e todas as outras formas de estimulantes externos nada mais são do que ajudas artificiais à natureza ou, para dizer corretamente, meros métodos de configurar a química mental para a ação a fim de que reorganize as células e os tecidos do corpo, revitalize o cérebro e faça com que a máquina humana funcione de modo adequado. Até mesmo o profissional mais ortodoxo deve admitir a verdade dessa afirmação.

Quais poderiam ser então as possibilidades futuras no campo da química mental?

Pela fusão harmoniosa de mentes, pode-se gozar de perfeita saúde. Com a ajuda desse mesmo princípio, pode-se desenvolver poder suficiente para resolver os problemas de necessidade econômica que pressionam todos os indivíduos constantemente.

Podemos julgar as possibilidades futuras da química mental fazendo um levantamento das conquistas passadas, tendo em mente que essas conquistas foram, na maioria, resultado de descobertas acidentais e de agrupamentos de mentes casuais. Estamos nos aproximando da hora em que os professores das universidades ensinarão química mental da mesma maneira como ensinam outras disciplinas. Enquanto isso, estudo e experimentação sobre o tema abrem novas perspectivas para o estudante individual.

Química mental e poder econômico

É fato demonstrável que a química mental pode ser utilizada de modo adequado nas questões do dia a dia do mundo econômico e comercial. Mediante a fusão de duas ou mais mentes em um espírito de perfeita harmonia, a química mental pode gerar poder suficiente para capacitar os indivíduos a realizar feitos supostamente sobre-humanos.

Poder é a força com que o homem alcança o sucesso em qualquer empreendimento. Poder em quantidade ilimitada pode ser desfrutado por qualquer grupo de homens e mulheres que tenham a sabedoria de submeter suas personalidades e interesses individuais imediatos à fusão de suas mentes em um espírito de perfeita harmonia.

Observe a frequência com que a palavra "harmonia" aparece ao longo desta introdução. Não pode haver MasterMind onde o elemento de perfeita harmonia não existir. As unidades mentais individuais não se fundirão até que as duas mentes tenham sido estimuladas e aquecidas, por assim dizer, com um espírito de perfeita harmonia de interesses. No momento em que duas mentes começam a divergir, as unidades individuais se separam, e o terceiro elemento, conhecido como MasterMind, surgido da aliança amistosa ou harmoniosa, se desintegra.

Chegamos agora ao estudo de alguns homens conhecidos que acumularam grande poder (e grandes fortunas também) com a aplicação do princípio do MasterMind. Vamos iniciar com três grandes homens conhecidos pelas grandes conquistas em seus campos de negócios e atividade profissional. Seus nomes são Henry Ford, Thomas A. Edison e Harvey Firestone.

Dos três, Henry Ford é de longe o mais poderoso, tendo-se como referência poder econômico e financeiro. Ford é hoje o homem mais poderoso da Terra. Muitos que estudaram Ford acreditam que seja o homem mais poderoso que já existiu. Até onde sei, é o único que tem ou já teve poder suficiente para desbancar o truste financeiro dos Estados Unidos. Ford amealha milhões de dólares com a mesma facilidade com que uma criança enche baldinhos de areia brincando na praia.

Sabe-se, por intermédio de pessoas que conviveram com Ford, que, se precisasse, poderia buscar recursos na ordem de até mesmo um bilhão de dólares e que a quantia estaria disponível para uso em no máximo uma semana. Ninguém que conhece as conquistas de Ford duvida disso. Aqueles que o conhecem bem sabem que ele seria capaz disso com menos esforço do que um homem comum para conseguir o dinheiro para pagar um mês do seu aluguel.

Thomas A. Edison, como todos sabem, é um filósofo, cientista e inventor. Talvez seja o mais ávido estudante da bíblia neste mundo – a bíblia da natureza, no entanto. Edison tem uma percepção tão arguta da bíblia da mãe natureza que a combinou e direcionou para o bem da raça humana mais do que qualquer outra pessoa que já tenha vivido no planeta.

Foi ele quem uniu a ponta de uma agulha e um pedaço de cera giratória de tal forma que a vibração da voz humana pôde ser gravada e reproduzida pelo moderno fonógrafo.

E pode ser Edison ou um homem de sua estirpe quem um dia capacitará os homens a capturar e interpretar corretamente as vibrações do pensamento hoje registradas no universo sem fronteiras do éter, assim como capacitou os homens a gravar e reproduzir a palavra falada.

Foi Edison quem controlou a luz pela primeira vez e a colocou a serviço do homem com a criação da lâmpada elétrica incandescente.

Foi Edison quem presenteou o mundo com os filmes modernos.

Essas são apenas algumas de suas impressionantes conquistas. Esses "milagres" modernos que ele realizou à luz da ciência transcendem todos os "milagres" descritos por Júlio Verne e outros em livros de ficção.

Harvey Firestone é o espírito vibrante da grande indústria de pneus Firestone em Akron, Ohio. Suas conquistas industriais são tão conhe-

O MASTERMIND

O gigante no centro da imagem representa o poder do esforço coletivo ou coordenado de quando homens reúnem-se em torno da mesa do conselho e trocam ideias em espírito de harmonia. A imagem retrata uma aplicação comum do princípio do MasterMind.

cidas em qualquer lugar onde haja automóveis que não são necessárias explicações especiais.

Todos esses três homens começaram suas carreiras e negócios sem capital e com pouca escolaridade daquele tipo normalmente chamada de "educação". Todos os três são bem educados atualmente. Todos os três são ricos e poderosos. Agora vamos investigar a origem de suas riquezas e de seus poderes. Até o momento estamos lidando apenas com o efeito; o verdadeiro filósofo deseja entender a "causa" de certo efeito.

É de conhecimento geral que Henry Ford, Thomas A. Edison e Harvey Firestone são amigos próximos há muitos anos e que algum tempo atrás tinham o hábito de ir para a floresta uma vez por ano para um período de descanso, meditação e recuperação. Mas não é de conhecimento geral – é uma grande dúvida se eles próprios sabem – que existe uma ligação harmoniosa entre os três que faz com que suas mentes formem um MasterMind, que é a real fonte de poder de cada um deles. Essa mente coletiva, surgida da coordenação das mentes individuais de Ford, Edison e Firestone, permitiu que eles "sintonizassem" forças e fontes de conhecimento com as quais a maioria dos homens não está familiarizada.

Se o estudante duvida do princípio ou dos efeitos aqui descritos, deixe-me lembrar que mais da metade da teoria apresentada é um fato conhecido. Por exemplo, é sabido que esses três homens têm grande poder. É sabido que são ricos. É sabido que começaram sem capital e com pouca escolaridade. É sabido que têm contatos mentais periódicos. É sábido que são harmoniosos e amistosos. É sabido que suas conquistas são tão notáveis que é impossível compará-las às de outros homens em seus campos de atividade. Todos esses "efeitos" são conhecidos por praticamente todas as crianças em idade escolar do mundo civilizado, portanto, não pode haver controvérsia nesse aspecto.

De um fato relacionado à "causa" das realizações de Ford, Edison e Firestone podemos ter certeza: essas conquistas não se basearam de forma alguma em trapaça, fraude ou qualquer outra forma de leis artificiais. Eles não têm um estoque de truques de mágica. Trabalham com leis naturais que em sua maioria são bem conhecidas dos economistas e líderes no campo da ciência, com a possível exceção da lei na qual a química da mente se baseia. Até agora a química mental não foi desenvolvida o suficiente para ser classificada no catálogo de leis conhecidas pelos cientistas.

Um MasterMind pode ser criado por qualquer grupo de pessoas que coordenem suas mentes em espírito de perfeita harmonia. O grupo pode ser formado por qualquer número a partir de dois. Os resultados parecem ser melhores a partir da união de seis ou sete mentes.

Foi sugerido que Jesus Cristo descobriu como fazer uso da química mental e que suas performances aparentemente milagrosas surgiram do poder que ele desenvolveu mediante a fusão da mente de seus doze discípulos. Foi observado que, quando um de seus discípulos (Judas Iscariotes) quebrou a fé, o MasterMind se desintegrou imediatamente e Jesus encontrou a suprema catástrofe de sua vida.

Quando duas ou mais pessoas harmonizam as mentes e produzem o efeito conhecido como MasterMind, cada pessoa do grupo adquire o poder de contatar e recolher conhecimento da mente "subconsciente" de todos os outros integrantes do grupo. Esse poder se torna imediatamente perceptível, tendo o efeito de estimular a mente a uma taxa mais elevada de vibração, evidenciada na forma de uma imaginação mais vívida e de uma consciência que parece um sexto sentido. É por meio do sexto sentido que novas ideias "lampejam" na mente. Essas ideias assumem a natureza e a forma do tema dominante na mente do indivíduo. Se o grupo se reuniu com o objetivo de discutir um determinado assunto, ideias relacionadas ao tema vão jorrar na mente de todos os participantes, como se uma influência externa as estivesse ditando. As mentes dos que participam do MasterMind se tornam como ímãs, atraindo ideias e estímulos da mais organizada e prática natureza – de onde não se sabe!

O processo de fusão mental aqui descrito como MasterMind pode ser comparado ao ato de conectar muitas baterias elétricas a um único cabo de transmissão, multiplicando a força que passa por aquele cabo pela quantidade de energia que as baterias carregam. No caso da fusão de mentes individuais em um MasterMind é a mesma coisa. Cada mente, segundo o princípio da química mental, estimula todas as outras mentes do grupo até a energia mental tornar tão grande que penetra e se conecta com a energia universal conhecida como éter, que, por sua vez, toca todos os átomos de matéria do universo.

Todos os oradores já sentiram a influência da química da mente, e é fato bem conhecido que, assim que as mentes individuais de uma audiência entram em concordância com o orador (sintonizam-se à taxa de vibração da mente dele), ocorre um notável aumento do entusiasmo em sua mente e ele em geral eleva a oratória a um nível que surpreende a todos, inclusive a si mesmo.

Os primeiros cinco a dez minutos de um discurso costumam ser dedicados ao que é conhecido como "aquecimento". Por isso entende-se o processo pelo qual as mentes do orador e da audiência estão se fundindo em espírito de perfeita harmonia. Todo orador sabe o que acontece quando esse estado de "perfeita harmonia" falha em se materializar em parte do público.

Os fenômenos aparentemente sobrenaturais que ocorrem em encontros espirituais são o resultado da reação das mentes do grupo umas nas outras. Tais fenômenos raras vezes começam a se manifestar antes de dez ou vinte minutos de formação do grupo, porque este é o tempo médio requerido para que as mentes do grupo se harmonizem e se fundam. As "mensagens" recebidas pelos membros de um grupo espiritualista provavelmente vêm de uma das seguintes duas fontes, ou de ambas:

- Do vasto depósito da mente subconsciente de algum dos membros do grupo;
- Do depósito universal do éter, no qual é mais do que provável que todas as vibrações de pensamento estejam preservadas.

Nenhuma lei natural conhecida, nem a razão humana apoiam a teoria da comunicação com indivíduos que já faleceram.

É fato conhecido que qualquer indivíduo pode explorar o depósito de conhecimento na mente de outra pessoa segundo o princípio da química mental, e parece razoável supor que esse poder possa ser estendido para incluir contato com quaisquer vibrações que estejam disponíveis no éter, se houver alguma.

A teoria de que todas as vibrações mais altas e refinadas, como o pensamento, estão preservadas no éter, surge do fato conhecido de que nem a matéria nem a energia (os dois elementos conhecidos do universo) podem ser criadas ou destruídas. É razoável supor que todas as vibrações que foram "elevadas" o suficiente para serem captadas e absorvidas pelo éter durarão para sempre. As vibrações mais baixas, que não se fundem ou entram em contato com o éter de outra maneira, provavelmente têm uma existência natural e morrem.

Todos os chamados gênios provavelmente adquiriram tal reputação porque, por mero acaso ou de alguma outra forma, criaram alianças com outras mentes que os capacitaram a aumentar suas vibrações mentais até o nível que possibilitou o acesso ao vasto templo do conhecimento registrado e arquivado no éter do universo. Todos os grandes gênios, no que tange aos fatos que este autor conseguiu reunir, eram pessoas extremamente sexuais. O fato de que o contato sexual é o maior estimulante mental conhecido ratifica a teoria aqui descrita.

Pesquisando mais a respeito da origem do poder econômico manifestado pelas conquistas dos homens no campo dos negócios, estudaremos o caso do grupo de Chicago conhecido como "Big Six" (Os Seis Grandes), composto por William Wrigley Jr., proprietário da empresa de goma de mascar que leva seu nome, cuja renda individual é estimada em mais de US$ 15 milhões por ano; John R. Thompson, que comanda a rede de lanchonetes que carrega seu nome; Albert Lasker, proprietário da agência de publicidade Lord & Thomas; Jack McCullough, proprietário da companhia Parlamee Express, a maior empresa de transportes de conexão dos Estados Unidos; e William Ritchie e John Hertz, proprietários da companhia de táxis Yellow Taxicab.

Uma empresa de relatórios financeiros confiável estimou a renda anual desses seis homens em torno de US$ 25 milhões, ou uma média de mais de US$ 4 milhões por empresário. A análise do grupo revela que nenhum deles teve qualquer vantagem educacional especial, que todos começaram sem capital ou crédito e que suas realizações financeiras decorreram de planos próprios individuais e não de um lance vencedor na roda da fortuna.

Muitos anos atrás, esses seis homens formaram uma aliança amigável, encontrando-se em períodos determinados com a finalidade de auxiliar uns aos outros com ideias e sugestões em suas diversas linhas de empreendimento. Com exceção de Hertz e Ritchie, nenhum deles era legalmente associado de forma alguma. As reuniões aconteciam com o propósito estrito de cooperar uns com os outros dando e recebendo ideias e sugestões.

Diz-se que cada um dos indivíduos pertencentes ao grupo Big Six é multimilionário. Via de regra, não há nada digno de nota em um homem que não faz nada mais do que acumular alguns milhões de dólares. No entanto, há algo ligado ao sucesso financeiro desse grupo específico de homens que é digno de nota, de estudo, de análise e até mesmo emulação, e esse "algo" é o fato de que aprenderam como coordenar suas mentes individuais e uni-las em um espírito de perfeita harmonia, criando assim um MasterMind que abre, para cada indivíduo do grupo, portas que estão fechadas para a maioria dos outros homens e mulheres.

A United States Steel Corporation é uma das organizações industriais mais fortes e mais poderosas do mundo. A ideia para este gigante industrial teve origem na mente de Elbert H. Gary, um advogado mais ou menos comum, nascido e criado em uma pequena cidade de Illinois, perto de Chicago. Gary cercou-se de um grupo de homens cujas mentes uniu em espírito de perfeita harmonia, criando assim o MasterMind, que é o espírito motriz da companhia.

Procure onde quiser e, onde quer que encontre um impressionante sucesso no mundo dos negócios, finanças, indústrias ou em qualquer das profissões, pode ter certeza de que por trás desse sucesso está um indivíduo que aplicou o princípio da química da mente com o qual um MasterMind foi criado. Esses sucessos notáveis muitas vezes parecem trabalho de uma só pessoa, mas olhe mais de perto e você encontrará os outros indivíduos cujas mentes foram coordenadas com a dele. Lembre-se de que duas ou mais pessoas podem operar o princípio da química mental de modo a criar um MasterMind.

O poder (humano) é o conhecimento organizado e manifestado por meio da ação inteligente. Nenhum esforço pode ser dito *organizado* a menos que os envolvidos coordenem seu conhecimento e energia em um espírito de perfeita harmonia. A falta de coordenação harmoniosa é a principal causa de praticamente todos os fracassos empresariais.

Uma experiência interessante foi realizada por este autor em colaboração com os alunos de uma faculdade bem conhecida. Cada estudante foi convidado a escrever um ensaio sobre "Como e por que Henry Ford ficou rico". Cada aluno deveria descrever, como parte do ensaio, qual acreditava ser a natureza do patrimônio real de Ford e de que tal patrimônio consistia em detalhes.

A maioria dos estudantes reuniu demonstrativos financeiros e inventários dos bens de Ford e os usou como base das estimativas de sua riqueza. Foram incluídos na lista das fontes de riqueza de Ford itens como: dinheiro em banco, matéria-prima e produtos acabados em estoque, terrenos e edifícios e o lucro, estimado entre 10% e 25% do valor total de seus ativos. Apenas um estudante do grupo, entre várias centenas, respondeu como segue:

> Os bens de Henry Ford consistem em sua maioria de dois itens, a saber: (1) capital de giro, matérias-primas e produtos acabados, (2) conhecimento adquirido com a experiência do próprio Henry Ford e pela cooperação de uma organização bem treinada que sabe como aplicar esse conhecimento para o melhor resultado do ponto de vista de Ford. É impossível estimar adequadamente o valor exato em dólares e centavos de qualquer um desses dois grupos de bens, mas em minha opinião seus valores relativos são:
>
> Conhecimento organizado da Organização Ford: 75%;
>
> Valor em dinheiro e bens materiais de toda natureza, inclusive matéria-prima e produtos acabados: 25%.

Este autor sustenta a opinião de que tal afirmação não foi elaborada pelo jovem que a assinou sem o auxílio de uma ou mais mentes muito analíticas e experientes.

Indiscutivelmente, o maior bem que Henry Ford possui é o próprio cérebro. Logo depois viriam os cérebros de seu círculo imediato de associados, pois foi pela coordenação destes que os bens materiais que ele controla e possui foram acumulados.

Destrua todas as plantas da Ford Motor Company, cada uma de suas máquinas, cada tonelada de matéria-prima ou produto acabado, cada automóvel e cada dólar na conta de cada banco, e Ford ainda assim seria o homem mais poderoso do mundo em termos econômicos. Os cérebros que construíram o negócio Ford poderiam duplicá-lo de novo em pouco tempo. O capital está sempre disponível em quantidades ilimitadas para cérebros como o de Ford.

Em termos econômicos, Ford é o homem mais poderoso da Terra porque tem uma concepção mais aguçada e um senso prático mais refinado do princípio do conhecimento organizado do que qualquer outro homem, até onde este autor pode saber.

Apesar do grande poder e sucesso financeiro de Ford, é possível que ele tenha errado muitas vezes na aplicação dos princípios pelos quais acumulou poder. Não há dúvidas de que os métodos de coordenação mental que Ford utilizou foram muitas vezes brutos, pois foram aplicados antes de ele adquirir a sabedoria advinda do passar dos anos e do amadurecimento de suas experiências. Também há pouca dúvida de que a química mental aplicada por Ford era, pelo menos no início, resultado de uma aliança casual com outras mentes, em especial a mente de Edison.

É mais do que provável que a percepção notável de Ford sobre a lei da natureza tenha surgido como resultado da aliança amigável com a esposa, muito antes de conhecer Edison ou Firestone. Muitos homens são feitos pela esposa mediante a aplicação do MasterMind e jamais tomam conhecimento da verdadeira fonte de seu sucesso. A Sra. Ford é uma mulher notavelmente inteligente, e este autor tem razões para

O HOMEM QUE TEM UM OBJETIVO DEFINIDO EM MENTE E UM PLANO DEFINIDO PARA ALCANÇÁ-LO JÁ PERCORREU 90% DO CAMINHO EM DIREÇÃO AO SUCESSO.

acreditar que foi a mente dela, misturada com a de Ford, que deu a ele o primeiro impulso para o poder.

Pode-se mencionar, sem privar Ford de qualquer honra ou glória, que no início de sua vida ele teve que combater os poderosos inimigos do analfabetismo e da ignorância em maior medida do que Edison ou Firestone, dotados pela hereditariedade de uma aptidão privilegiada para adquirir e aplicar conhecimento. Ford teve de talhar seu talento a partir da madeira bruta do fator hereditário não muito favorável.

Dentro de um período de tempo inconcebivelmente curto, Ford enfrentou três dos inimigos mais contumazes da humanidade e os transformou em trunfos que constituem o fundamento do seu sucesso. Esses inimigos são a ignorância, o analfabetismo e a pobreza. Qualquer homem que consiga deter o duro golpe dessas três forças selvagens e ainda dominá-las e usá-las para o bem vale a pena ser estudado de perto pelos indivíduos menos afortunados.

∽

Estamos vivendo na era do poder industrial. A fonte de todo esse poder é o esforço organizado. Não só a gestão das empresas industriais organiza trabalhadores individuais com eficiência, como, em muitos casos, as fusões das indústrias são efetuadas de tal maneira que as combinações (como a United States Steel Corporation, por exemplo) acumulam poder praticamente ilimitado.

Dificilmente assistimos ao noticiário sem ver o relato de alguma fusão de negócios, industrial ou financeira, colocando enormes recursos sob uma única gestão, gerando assim um grande poder. Um dia é um grupo de bancos, outro dia é uma rede de empresas do setor ferroviário, no dia seguinte é uma combinação de usinas siderúrgicas, todos se fundindo com a finalidade de desenvolver poder mediante esforço altamente organizado e coordenado.

Conhecimento de natureza geral e desorganizado não é poder, é apenas poder potencial – o material a partir do qual o verdadeiro poder pode se desenvolver. Qualquer biblioteca moderna contém um registro desorganizado de todo o conhecimento de valor herdado pela civilização atual, mas esse conhecimento não é poder porque não está organizado.

Para sobreviver, todas as formas de energia e todas as espécies animais ou vegetais devem estar organizadas. Os animais de grandes dimensões já extintos, cujos restos formam o quintal de ossos da natureza, deixaram evidências silenciosas que provam que a não organização significa aniquilação.

Do elétron – a menor partícula de matéria – até a maior estrela do universo, estes e todas as coisas materiais entre os dois extremos provam que uma das primeiras leis da natureza é a da *organização*. Feliz é a pessoa que reconhece a importância dessa lei e trata de se familiarizar com as várias maneiras em que ela pode ser aplicada em seu benefício. O homem de negócios astuto não apenas reconhece a importância da lei do esforço organizado, como faz dela a fundação para seu poder.

Sem qualquer conhecimento que fosse do princípio da química mental, ou mesmo de que tal princípio existe, muitos homens acumularam grande poder apenas organizando o conhecimento que tinham. A maioria dos que descobriram o princípio da química mental e o transformaram em um MasterMind tropeçaram nesse conhecimento por mero acaso, com frequência falhando em reconhecer a verdadeira natureza de sua descoberta ou compreender a fonte de seu poder.

Este autor é da opinião de que as pessoas que estão neste momento fazendo uso consciente do princípio da química mental e desenvolvendo poder mediante a combinação de mentes podem ser contadas nos dedos das mãos – e talvez sobrem muitos dedos. Se essa estimativa é pelo menos em parte verdadeira, o estudante perceberá facilmente que o risco de que o campo da prática da química mental se torne corriqueiro é muito pequeno.

É fato bem conhecido que uma das tarefas mais difíceis que qualquer homem de negócios deve realizar é induzir seus associados a coordenar esforços em espírito de harmonia. Induzir a contínua cooperação entre um grupo de trabalhadores em qualquer tarefa é quase impossível. Apenas os líderes mais eficientes conseguem realizar esse objetivo tão almejado, mas de vez em quando, como em um passe de mágica, surge um líder no campo da indústria, dos negócios ou das finanças, e então o mundo ouve falar de um Henry Ford, de um Thomas A. Edison, de um John D. Rockefeller, de um E. H. Harriman ou de um James J. Hill.

Poder e sucesso são sinônimos. Um cresce a partir do outro, portanto, qualquer pessoa que possua conhecimento e capacidade de desenvolver poder pela coordenação harmoniosa de esforços entre mentes individuais ou de qualquer outra forma pode ser bem-sucedida em qualquer empreendimento passível de sucesso.

∽

Não se deve presumir que um MasterMind vá florescer instantaneamente a partir de qualquer grupo com a pretensão de fundir-se em espírito de harmonia. Harmonia, no real sentido da palavra, é tão rara em um grupo de pessoas quanto o cristianismo genuíno entre aqueles que se declaram cristãos. Harmonia é o núcleo em torno do qual o estado de espírito conhecido como MasterMind deve ser desenvolvido. Sem harmonia não pode haver MasterMind, uma verdade que nunca é demais repetir.

Em sua proposta da Liga das Nações, Woodrow Wilson tinha a ideia de desenvolver um MasterMind composto por mentes que representassem as nações civilizadas do mundo. A concepção de Wilson foi a ideia humanitária de mais largo alcance já criada pela mente do homem, pois envolvia um princípio que reúne poder suficiente para estabelecer uma verdadeira irmandade na Terra.

A Liga das Nações ou uma mistura semelhante de mentes internacionais em espírito de harmonia com certeza será uma realidade em um futuro não muito distante. O tempo para tal unidade de mentes ocorrer será calculado em grande parte pelo tempo que as grandes universidades e instituições não sectárias de aprendizado necessitarão para substituir a ignorância e a superstição pela compreensão e sabedoria. Esse momento se aproxima rapidamente.

A psicologia do encontro revivalista

A antiga orgia religiosa conhecida como "revivalismo" oferece uma oportunidade única para o estudo do princípio da química mental conhecido como MasterMind. Observa-se que a música desempenha um papel importante em produzir a harmonia essencial à fusão de um grupo de mentes no revivalismo. Sem música o encontro revivalista seria uma coisa morna.

Durante os serviços revivalistas, o líder não encontra dificuldade em criar harmonia na mente dos devotos, mas é fato bem conhecido que esse estado de harmonia não perdura sem sua presença e que o MasterMind temporário criado por ele se desintegra. Ao despertar a natureza emocional dos seguidores mediante uma configuração de palco adequada e o tipo de música certa, o revivalista não tem dificuldade em criar um MasterMind perceptível a todos que entram em contato com ele. O próprio ar fica carregado de uma influência positiva, agradável, que muda a química de todas as mentes presentes. No revivalismo, chamam essa energia de "espírito do Senhor."

Em experimentos realizados com um grupo de investigadores científicos e de leigos que desconheciam a natureza do experimento, este autor criou o mesmo estado de espírito e o mesmo ambiente positivo sem chamá-lo de espírito do Senhor. Em muitas ocasiões, este autor testemunhou a criação da mesma atmosfera positiva em grupos de homens e mulheres que exercem a atividade de vendedores sem chamá-la de espírito do Senhor.

O autor ajudou a coordenar uma escola de vendas para Harrison Parker, fundador da Co-operative Society de Chicago, e, com a utilização do mesmo princípio de química mental que os revivalistas chamam de espírito do Senhor, treinou e motivou um grupo de três mil homens e mulheres (nenhum deles tinha qualquer experiência anterior com vendas) de tal forma que venderam mais de US$ 10 milhões em títulos em menos de nove meses e receberam mais de US$ 1 milhão em comissões.

Verificou-se que, em média, as pessoas que frequentavam a escola atingiam o auge do seu poder de vendas dentro de uma semana; depois disso era necessário revitalizar o cérebro do indivíduo em uma reunião do grupo. Os encontros de vendedores eram conduzidos de modo muito semelhante ao revivalismo religioso moderno, com o mesmo equipamento de palco, incluindo música e oradores potentes, que estimulavam o pessoal das vendas da mesma maneira que o religioso revivalista moderno.

Chame de psicologia, química mental ou como quiser (tudo se baseia no mesmo princípio), mas não há nada mais certo do que o fato de que, onde quer que um grupo de mentes seja colocado em contato em um espírito de perfeita harmonia, cada mente do grupo é imediatamente suplementada e reforçada por uma energia perceptível chamada de MasterMind. Segundo o conhecimento deste escritor, essa energia inexplorada pode ser o espírito do Senhor, mas opera de modo igualmente favorável quando chamada por qualquer outro nome.

O cérebro e o sistema nervoso humano constituem uma máquina complexa que apenas poucas pessoas compreendem – se é que alguma.

Quando controlada e devidamente orientada, essa máquina pode ser utilizada para realizar maravilhas; sem controle, produz assombros de natureza fantasmagórica, como pode ser observado examinando-se os internos de um manicômio.

O cérebro humano tem conexão direta com um fluxo contínuo de energia de onde o homem deriva o poder de pensar. O cérebro recebe essa energia, a mistura com a energia criada pelo alimento ingerido pelo corpo e a distribui para todas as partes do organismo através do sangue e do sistema nervoso. Isto, então, torna-se o que chamamos de vida.

Ninguém parece saber de onde vem essa fonte de energia externa, tudo o que sabemos é que precisamos dela. Parece razoável presumir que essa energia nada mais é do que aquela que chamamos de éter, que flui para dentro do corpo com o oxigênio que respiramos.

Todo corpo humano normal possui um laboratório químico de primeira classe e um estoque de produtos químicos suficiente para produzir a ruptura, assimilação e devida mistura e combinação do alimento que ingerimos, preparando-o para distribuí-lo para onde for necessário. Amplos testes foram realizados, tanto com homens quanto com animais, para provar que a energia conhecida como mente desempenha papel importante na operação química de compor e transformar alimentos nas substâncias necessárias para construir e reparar o corpo.

Sabe-se que preocupação, agitação ou medo interferem no processo digestivo e, em casos extremos, podem parar o processo por completo, resultando em doença ou morte. É evidente, portanto, que a mente participa da química da digestão e distribuição de alimentos.

Muitas autoridades eminentes acreditam, embora nunca tenha sido comprovado cientificamente, que a energia conhecida como pensamento pode ser contaminada com unidades negativas ou "antissociais" de tal forma que todo o sistema nervoso para de funcionar, interferindo na digestão e manifestando diversos tipos de doença. Dificuldades financeiras e amores não correspondidos encabeçam a lista das causas de tais perturbações mentais.

Um ambiente negativo, como o existente em uma família onde um membro está constantemente irritado, irá interferir com a química da mente a tal ponto que o indivíduo perderá a ambição e gradualmente afundará na letargia. Por causa desse fato o velho ditado de que a esposa de um homem pode tanto construí-lo como destruí-lo é literalmente verdadeiro.

Qualquer estudante do ensino médio sabe que certas combinações de alimentos, se levadas ao estômago, vão resultar em indigestão, dor violenta e até mesmo a morte. A boa saúde depende pelo menos em parte de uma combinação de alimentos harmoniosa. Mas harmonia na combinação de alimentos não é suficiente para garantir boa saúde; deve haver harmonia também entre as unidades de energia conhecidas como mente.

"Harmonia" é uma das leis da natureza, sem a qual não pode haver algo como energia organizada ou qualquer forma de vida. A saúde do corpo, bem como da mente, está literalmente construída sobre as bases do princípio da harmonia. A energia conhecida como vida começa a se desintegrar e a morte se aproxima quando os órgãos do corpo deixam de trabalhar em harmonia.

No momento em que a harmonia cessa na fonte de qualquer forma de energia organizada (poder), as unidades daquela energia são jogadas em um estado caótico de desordem e o poder torna-se neutro ou passivo.

A harmonia é também o núcleo em torno do qual a química mental conhecida como MasterMind desenvolve sua potência. Destrua essa harmonia e você destruirá o poder que surge do esforço coordenado de um grupo de mentes individuais. Essa verdade tem sido afirmada, reafirmada e apresentada de todas as maneiras que o autor pode conceber, repetindo-a de forma interminável, porque, a menos que o aluno apreenda esse princípio e aprenda como aplicá-lo, este tratado sobre o MasterMind torna-se inútil.

O sucesso na vida – não importando o que se chame de sucesso – é em grande parte uma questão de adaptação ao ambiente, de maneira que haja harmonia entre o indivíduo e seu meio. O palácio de um rei torna-se um casebre de camponês se a harmonia não é abundante dentro de suas paredes. Por outro lado, a cabana de um camponês pode produzir mais felicidade do que a mansão de um homem rico, se a primeira tiver harmonia e a segunda não.

Sem perfeita harmonia a ciência da astronomia seria inútil porque estrelas e planetas colidiriam uns com os outros e tudo estaria em estado de caos e desordem. Sem harmonia, o sangue poderia depositar o alimento que faz crescer as unhas no couro cabeludo e fazer crescer ali um chifre, que poderia facilmente ser mal interpretado pelos supersticiosos como algo referente ao relacionamento do homem com certo cavalheiro chifrudo imaginário citado com frequência pelos tipos mais primitivos.

Sem harmonia não pode haver organização do conhecimento, pois, pode-se perguntar, o que é conhecimento organizado senão a harmonia de fatos, verdades e leis naturais?

No momento em que a discórdia começa a se esgueirar pela porta da frente, a harmonia escapa pela porta dos fundos, por assim dizer, seja em uma parceria de negócios ou no movimento ordenado dos planetas e estrelas do firmamento.

Se o estudante está com a impressão de que o autor está colocando ênfase excessiva na importância da harmonia, convém lembrar que falta de harmonia é a primeira e, muitas vezes, única causa do fracasso.

Não pode haver poesia, música ou oratória dignas de nota sem a presença da harmonia.

Boa arquitetura é em grande parte uma questão de harmonia. Sem harmonia, uma casa não é senão uma massa de material, mais ou menos uma monstruosidade.

A gestão de negócios sólidos fundamenta sua existência na harmonia.

Todo homem ou mulher bem-vestidos são uma pintura viva e um exemplo de harmonia em movimento.

Com todos esses exemplos cotidianos do importante papel que a harmonia desempenha nas questões do mundo, ou melhor, na operação de todo o universo, como poderia qualquer pessoa inteligente deixar a harmonia de fora do seu objetivo definido de vida? Não há como ter objetivo definido quando se omite a harmonia como alicerce.

O corpo humano é uma organização complexa de órgãos, glândulas, vasos sanguíneos, nervos, células cerebrais, músculos, etc. A energia mental que impulsiona a ação e coordena os esforços das partes componentes do corpo é também uma pluralidade de energias que estão sempre variando e intercalando-se. Há uma luta contínua desde o nascimento até a morte, muitas vezes assumindo a natureza de combate aberto entre as forças da mente. Por exemplo, a luta ao longo da vida entre as forças e desejos motivacionais da mente humana, decorrente dos impulsos de certo e errado, é bem conhecida por todos.

Todo ser humano possui pelo menos dois poderes mentais ou personalidades distintas, e até seis personalidades diferentes foram descobertas em uma pessoa. Uma das tarefas mais delicadas do homem é harmonizar as forças mentais para que possam ser organizadas e dirigidas para a realização ordenada de um determinado objetivo. Sem o elemento de harmonia nenhum indivíduo pode se tornar um pensador acurado.

Não é de admirar que os líderes de grandes empresas comerciais e industriais, bem como em outros campos de atuação, achem tão difícil organizar grupos de pessoas que funcionem sem atrito na realização de um determinado objetivo. Cada ser humano possui forças difíceis de harmonizar dentro de si mesmo, mesmo quando colocado no ambiente mais favorável à harmonia. Se a química mental do indivíduo é tal que as unidades de sua mente não podem ser facilmente harmonizadas, pense no quão difícil deve ser harmonizar um grupo de mentes para que funcionem como uma só, de modo organizado, no que é conhecido como MasterMind.

O líder que desenvolve e direciona com sucesso as energias de um MasterMind deve ter tato, paciência, persistência, autoconfiança e conhecimento íntimo da química mental, bem como capacidade de adaptar-se (em estado de equilíbrio e harmonia perfeitos) a novas circunstâncias surgidas de repente sem demonstrar o menor sinal de aborrecimento. Quantas pessoas existem por aí que podem cobrir esses requisitos?

O líder de sucesso deve ter a capacidade de mudar a cor de sua mente como um camaleão para aceitar todas as circunstâncias que surgem relacionadas ao objetivo de sua liderança. Além disso, deve ter a capacidade de mudar de um estado de ânimo para outro sem demonstrar o menor sinal de raiva ou falta de autocontrole. O líder bem-sucedido deve compreender as dezessete Leis do Sucesso e ser capaz de pôr em prática qualquer combinação dessas leis sempre que a ocasião exigir. Sem essa habilidade nenhum líder pode ser poderoso; sem poder, nenhum líder pode durar por muito tempo.

O significado de educação

Há muito tempo existe um equívoco geral sobre o significado da palavra "educar". Os dicionários não têm ajudado na eliminação do mal-entendido, pois definem "educar" como o ato de transmitir conhecimento. A palavra "educar" tem raízes na palavra latina *educo*, que significa desenvolver de *dentro*, extrair, crescer a partir do *uso*.

A natureza odeia a ociosidade em todas as suas formas. Ela dá vida contínua apenas aos elementos que estão em uso. Amarre um braço, ou qualquer outra parte do corpo, deixando-o fora de uso, e ele atrofiará em breve e perderá a vida. Inverta a ordem, use um braço mais do que o normal, como o do ferreiro que empunha um martelo pesado durante todo o dia, e esse braço (desenvolvido de dentro) se fortalecerá.

O poder cresce do conhecimento organizado, mas lembre-se de que cresce de dentro para fora mediante aplicação e uso.

Um homem pode se tornar uma enciclopédia ambulante sem possuir qualquer poder valioso. O conhecimento se torna poder apenas na medida em que é organizado, classificado e colocado em ação. Alguns dos homens mais educados que o mundo já conheceu possuíam muito menos conhecimento geral do que outros que ficaram conhecidos como tolos; a diferença é que os primeiros colocaram o conhecimento que tinham em uso, enquanto os últimos não fizeram tal aplicação.

Uma pessoa "educada" é aquela que sabe como adquirir tudo de que precisa para a conquista do seu objetivo principal de vida sem violar os direitos dos seus semelhantes. Pode ser uma surpresa para muitos dos chamados homens "letrados" saber que estão longe de se qualificar como homens "educados". E também pode ser uma grande surpresa para muitos que acreditam sofrer da falta de "aprendizado" saber que são "educados".

O advogado bem-sucedido não é necessariamente aquele que memoriza o maior número de leis. Pelo contrário, o advogado bem-sucedido é aquele que sabe onde encontrar uma lei, além de uma variedade de opiniões que apoiem o princípio que se encaixa nas necessidades imediatas de um determinado caso. Em outras palavras, o advogado bem-sucedido é aquele que sabe onde encontrar a lei que quer quando precisa.

EDUCAÇÃO CONSISTE EM FAZER – NÃO APENAS SABER!

Esse princípio aplica-se com igual força nos campos da indústria e dos negócios.

Henry Ford teve pouca escolaridade elementar, mas é um dos homens mais "educados" do mundo, pois adquiriu a capacidade de combinar as leis naturais e econômicas de tal maneira, para não falar das mentes dos homens, que tem poder para adquirir qualquer coisa de natureza material que deseje.

Alguns anos atrás, durante a Primeira Guerra Mundial, Ford entrou com uma ação contra o *Chicago Tribune*, alegando que o jornal havia publicado declarações caluniosas sobre ele, uma das quais a afirmação de que Ford seria um "ignoramus", um pacifista ignorante.

Quando o processo foi a julgamento, os advogados do *Tribune* tentaram provar, usando Ford, que a afirmação do jornal era verdadeira, que ele era realmente ignorante, e com esse objetivo em vista o interrogaram sobre todo tipo de assunto. Uma das perguntas que fizeram foi: "Quantos soldados os britânicos enviaram para reprimir a rebelião nas colônias em 1776?".

Com um sorriso seco no rosto, Ford respondeu com indiferença: "Não sei quantos, mas ouvi dizer que eram muito mais do que os que conseguiram voltar".

Gargalhadas no tribunal, do júri, dos espectadores e até mesmo do advogado frustrado que havia feito a pergunta.

Essa linha de interrogatório continuou durante uma hora ou mais, e Ford permaneceu em perfeita calma. Permitiu que os advogados "sabichões" brincassem com ele até se cansar e, em resposta a uma pergunta particularmente ofensiva e insultante, levantou-se, apontou o dedo para o advogado questionador e disparou: "Se eu realmente quisesse responder as perguntas tolas que você acabou de fazer ou qualquer uma das outras que fez, deixe-me lembrá-lo de que tenho uma fileira de botões sobre a minha mesa e, ao pressionar o botão correto, poderia chamar homens que poderiam me dar a resposta correta para todas as perguntas que você fez e para muitas outras que você não tem inteligência suficiente para perguntar ou responder. Agora, poderia fazer a gentileza de dizer por que eu deveria encher minha mente com um monte de detalhes inúteis a fim de responder cada pergunta tola que alguém possa fazer, quando tenho homens capazes ao meu redor, que podem fornecer todos os dados que eu quiser quando os chamar?". Esse trecho é uma citação de memória, mas resume substancialmente a declaração de Ford.

Houve um silêncio na sala do tribunal. O queixo do advogado questionador caiu, seus olhos se arregalaram, o juiz inclinou-se à frente e olhou na direção de Ford. Muitos do júri acordaram e olharam ao redor, como se tivessem ouvido uma explosão, o que de fato ouviram.

Um pastor proeminente, que estava presente na sala do tribunal, disse mais tarde que a cena lembrou-o do que deve ter ocorrido quando Jesus Cristo foi a julgamento perante Pôncio Pilatos, logo após ter dado a famosa resposta à pergunta de Pilatos: "O que é a verdade?".

No vernáculo de hoje em dia, a resposta de Ford atingiu o questionador em cheio.

Até o momento daquela resposta, o advogado havia desfrutado de diversão considerável que acreditava ser à custa de Ford, exibindo conhecimentos gerais com habilidade e comparando com o que deduziu ser a ignorância de Ford em muitos acontecimentos e temas. Mas a resposta acabou de vez com a diversão do advogado. Também provou mais uma vez (para todos os que tinham inteligência para aceitar a prova) que verdadeira educação significa desenvolvimento da mente e não apenas coleta e classificação de conhecimento.

Ford muito provavelmente não saberia citar todas as capitais estaduais dos Estados Unidos, mas podia reunir – e de fato reuniu – o "capital" com o qual "fez girar muitas rodas" em cada estado da união.

Educação – não esqueçamos disso – consiste no poder com o qual alguém pode obter tudo o que é necessário sem violar os direitos de seus semelhantes. Ford se encaixa muito bem nessa definição, como o autor tentou deixar claro ao narrar o incidente relacionado à filosofia simples do empresário.

Há muitos homens "estudados" que em teoria poderiam confundir Ford com facilidade em um labirinto de perguntas que ele não poderia responder pessoalmente. Mas Ford poderia travar uma batalha no campo industrial ou financeiro que exterminaria esses mesmos homens e toda a sua sabedoria e conhecimento abstrato.

É provável que Ford não possa entrar em seu laboratório e separar os componentes da água em átomos de hidrogênio e oxigênio e então recombinar esses átomos na forma original, mas sabe como se cercar de químicos que poderiam fazer isso quando ele quisesse. O homem que consegue utilizar com inteligência o conhecimento de outrem é tão ou mais educado do que a pessoa que apenas tem o conhecimento, mas não sabe o que fazer com ele.

A RELAÇÃO ENTRE IMPULSO SEXUAL E GENIALIDADE

O impulso sexual é, de longe, a mais poderosa das oito forças motivadoras básicas que estimulam a mente à ação. Devido à importância deste assunto, ele foi reservado para o encerramento do capítulo sobre o primeiro dos dezessete fatores que constituem a Lei do Sucesso. O papel desempenhado pelo desejo sexual na conquista de grande sucesso foi descoberto pelo autor em seus estudos sobre as biografias de grandes líderes e em sua análise de homens e mulheres da atualidade que alcançaram altas posições em suas áreas de atuação.

Sexo é um tema sobre o qual a maioria das pessoas é imperdoavelmente ignorante. O impulso sexual é caluniado e parodiado por gente ignorante e vulgar há tanto tempo que a palavra "sexo" muito raramente é mencionada na sociedade educada. Homens e mulheres conhecidos por serem abençoados com uma natureza altamente sexuada em geral são encarados como pessoas que devem ser monitoradas e, em vez de serem chamados de "abençoados", costumam ser chamados de "amaldiçoados".

Durante os primeiros anos de investigação, quando esta filosofia estava em fase embrionária, o autor descobriu que todo grande líder na arte, na música, na literatura, na política e em praticamente todas as outras esferas da vida era uma pessoa altamente sexuada. Entre o grupo cujas biografias foram cuidadosamente estudadas vamos mencionar, com o propósito de refrescar a memória do leitor sobre o assunto, os seguintes: Napoleão Bonaparte, Shakespeare, George Washington, Abraham Lincoln, Ralph Waldo Emerson, Robert Burns e Thomas Jefferson. Lembremo-nos também de alguns cavalheiros altamente sexuados de tempos mais recentes, reconhecidos como homens de grandes conquistas em suas respectivas vocações: Elbert Hubbard, Elbert H. Gary, Oscar Wilde, Woodrow Wilson, John H. Patterson, Stanford White e Enrico Caruso.

Por razões éticas, não seria apropriado mencionar os nomes de homens ainda vivos, mas o leitor pode facilmente encontrá-los fazendo um inventário de *todos* os homens que desfrutam da reputação de uma grande liderança em seus respectivos campos de atuação.

O impulso sexual é a forma de emoção humana mais elevada e refinada. Ele eleva a taxa de vibração da mente como nenhuma outra emoção é capaz e faz com que as faculdades imaginativas do cérebro funcionem como as de um *gênio*. Longe de ser algo de que se envergonhar, a natureza altamente sexuada é uma bênção da qual uma pessoa deve sentir-se orgulhosa e pela qual não deve desculpar-se.

O VALOR DA TRANSFORMAÇÃO DO IMPULSO SEXUAL

Ser altamente sexuado não é o suficiente, por si só, para produzir um gênio. Apenas aqueles que entendem a natureza do desejo sexual e que sabem como transmutar essa emoção poderosa dentro de canais de ação diferentes do contato sexual elevam-se à condição de gênio. O impulso do sexo é uma força motriz em relação à qual todas as outras forças motivadoras ficam em segundo lugar, na melhor das hipóteses. A mente despertada por desejo sexual intenso torna-se receptiva ao impulso de ideias que "lampejam" de fontes externas por meio do que normalmente chamamos de *inspiração.*

É crença deste autor – crença não sem consideráveis evidências para apoiá-la – que todas as ditas "revelações" de qualquer natureza, da religião à arte, são induzidas pelo intenso desejo de contato sexual. Todas as pessoas chamadas "magnéticas" são altamente sexuadas. Pessoas brilhantes, encantadoras, versáteis e talentosas costumam ser altamente sexuadas. Prove isso a si mesmo, analisando aqueles que você sabe que são altamente sexuados.

Destrua a capacidade de ter forte desejo sexual e você terá removido tudo o que é poderoso em um ser humano. Se quiser a prova disso, observe o que acontece com um vigoroso garanhão ou qualquer outro animal do sexo masculino, como um touro ou porco, depois de castrado. No momento em que o impulso sexual é destruído em qualquer animal, do homem até as mais baixas formas de vida animal, a capacidade de *ação* dominante é destruída com ele. Esta é uma afirmação biológica conhecida demais para ser questionada. Além disso, é um fato significativo e importante.

A energia sexual tem valor terapêutico

É fato bem conhecido pelos cientistas, embora não seja de conhecimento geral dos leigos, que o contato sexual tem um valor terapêutico que não é encontrado em nenhuma outra emoção humana. No entanto, esse fato pode ser facilmente verificado até mesmo pelo estudo mais casual do assunto, observando o estado físico do corpo após o contato sexual entre duas pessoas que têm afinidade.

Que mente é tão vulgar e ignorante para não ter observado que, após o contato sexual entre duas pessoas que estão adequadamente "equilibradas" ou acasaladas, o corpo físico fica relaxado e calmo? O relaxamento induzido dessa forma proporciona ao sistema nervoso uma oportunidade muito favorável para equilibrar e distribuir a energia nervosa do corpo para todos os órgãos. Energia nervosa distribuída de forma adequada é a força que mantém um corpo saudável. Além disso, energia nervosa distribuída de modo adequado pelo relaxamento é o agente que elimina a causa de todas as doenças físicas.

Esses fatos citados resumidamente não são meras opiniões do autor dessa filosofia. Foram recolhidos em 25 anos de pesquisa cuidadosa com a colaboração de alguns dos mais eminentes cientistas conhecidos pelas gerações do passado e do presente. Um deles é um médico bem conhecido que foi ousado o bastante para admitir que muitas vezes havia recomendado uma mudança de parceiro sexual para pacientes que sofriam de hipocondria (pessoas que sofrem de doenças imaginárias) e com isso produziu curas que não seriam possíveis de outra forma. Esse médico foi ainda mais longe ao prever que não tardará muito para essa forma de terapia ser entendida e utilizada de modo mais generalizado. A sugestão é oferecida aqui pelo que possa valer, sem comentário do autor dessa filosofia, exceto a afirmação de que a maioria da raça humana ainda é lamentavelmente ignorante a respeito das possibilidades do impulso do sexo, não só para a manutenção da saúde, mas também na criação de gênios.

Pareceu bastante significativa para este autor a descoberta de que praticamente todo grande líder a quem teve o privilégio de estudar de perto era um homem cujas conquistas foram em grande parte inspiradas por uma mulher. Em muitos casos, a mulher é uma pequena e modesta esposa de quem o público mal ouviu falar. Em poucos casos, a fonte de inspiração foi a "outra". Um grande e duradouro amor é motivo suficiente para conduzir até mesmo um homem medíocre a realizações inacreditáveis, uma afirmação que deveria ser mantida em mente por todas as esposas.

O impulso sexual é o mais eficaz agente conhecido pelo qual a mente pode ser "intensificada" e se tornar um MasterMind.

As dez maiores fontes de estimulação mental

Pode ser útil destacar aqui as principais fontes de estimulação mental, tendo em vista que todas as grandes conquistas são o resultado de algum tipo de estímulo que intensifica a mente a uma taxa elevada de vibração. Os estímulos estão listados abaixo no que o autor acredita ser sua ordem de importância:

1. Contato sexual entre duas pessoas motivadas por um genuíno sentimento de amor.
2. Amor, não necessariamente acompanhado por contato sexual.
3. Desejo ardente de fama, poder e ganho financeiro.

4. Música. Age como um poderoso estimulante para pessoas altamente emocionais.
5. Amizade entre pessoas do mesmo sexo ou do sexo oposto, acompanhada de um desejo mútuo de ser útil em uma determinada tarefa.
6. MasterMind entre duas ou mais pessoas aliadas mentalmente com o propósito de ajuda mútua em espírito altruísta.
7. Sofrimento mútuo, como aquele vivido por pessoas injustamente perseguidas por diferenças de opinião em questões raciais, religiosas e econômicas.
8. Autossugestão, por meio da qual um indivíduo pode estimular a própria mente de forma constante para um propósito definido. (Talvez essa fonte de estimulação mental deva ser colocacada mais perto do topo da lista.)
9. Sugestão. A influência da sugestão externa pode levar uma pessoa a altos níveis de realização ou, se usada de forma negativa, para o poço sem fundo do fracasso e da destruição.
10. Narcóticos e álcool. Essa fonte de estímulo mental é totalmente destrutiva e no fim conduz à negação de todas as outras nove.

Estimulante mental é qualquer influência que eleva a taxa de vibração do cérebro de forma temporária ou permanente. Aqui você tem uma breve descrição de todas as principais fontes de estímulo mental. Por meio dessas fontes pode-se comungar temporariamente com a Inteligência Infinita, um procedimento que constitui tudo o que há de genial.

A afirmação anterior é definitiva e simples. É pegar ou largar, como você preferir. A afirmativa é feita como fato positivo porque o autor teve o privilégio de ajudar dezenas de homens e mulheres a sair da mediocridade e alcançar estados mentais que poderiam colocá-los na categoria de gênios. Alguns foram capazes de permanecer nesse estado exaltado, enquanto outros recaíram ao seu antigo estado em caráter temporário ou permanente.

O autor entrevista e analisa pessoalmente uma média de doze homens e mulheres todos os dias com o propósito de ajudá-los a descobrir a fonte mais adequada de estímulo mental e a saída mais rentável para o talento resultante da estimulação. Em muitas dezenas de ocasiões, o autor teve a experiência de ver um cliente inventar algo útil ou criar um plano original de prestação de serviços bem no meio da análise.

Nem duas horas antes da redação dessas linhas, um cliente cujo nome é H. Gundelach veio com sua esposa para a análise, e, em menos de trinta minutos de trabalho, concebeu uma ideia para um novo estilo de tijolo intertravado, adequado para a construção de rodovias públicas, que pode ser útil em todo o país, sem falar na fortuna que pode gerar para Gundelach. Talvez fosse mais correto dizer que nós três – ele, a esposa e eu – concebemos a ideia simultaneamente.

Intemperança

O uso de álcool e narcóticos como estimulantes mentais é condenado sem exceção, uma vez que tal uso por fim destrói a potência de funcionamento normal do cérebro. Embora seja verdade que alguns dos maiores gênios literários do passado tenham usado o álcool como estimulante com algum tipo de sucesso temporário, é igualmente verdade que tal uso em geral tornou-se um excesso que os destruiu. Edgar Allan Poe e Robert Burns utilizaram o álcool como estimulante da mente, com efeitos notáveis, mas ambos acabaram destruídos pelo uso excessivo. Dos dez estimulantes descritos neste capítulo, nove são seguros para uso e mesmo estes não podem ser utilizados em excesso.

O contato sexual é o mais poderoso de todos os estimulantes da mente, mas também pode ser usado em excesso com efeitos tão prejudiciais quanto o uso excessivo de álcool ou narcóticos. Comer demais pode ser tão prejudicial quanto qualquer outra forma de excesso, e em muitos milhares de casos essa forma de indulgência destrói todas as possibilidades de grandes realizações.

Um dos dezessete fatores da Lei do Sucesso é o autocontrole. Como será visto quando chegarmos neste assunto, no sentido em que faz parte dessa filosofia, o autocontrole é uma roda de equilíbrio que protege o indivíduo contra excessos de qualquer natureza. Os três principais excessos que estão destruindo pessoas em todo o mundo hoje em dia são: excesso na alimentação, excesso sexual e excesso em bebidas fortes e drogas. Qualquer um desses é tão fatal para o sucesso como qualquer outro dos dois.

Por que o sucesso não vem antes dos 40

A principal razão pela qual o homem médio não começa a acertar o passo para valer no campo profissional antes dos 40 anos é a tendência a dissipar sua energia pelo excesso na atividade sexual. O homem médio não aprende que o impulso sexual tem outras possibilidades de uso que não o contato sexual até chegar aos 40 ou 45 anos. Até essa idade, a vida do homem médio (classificação na qual a maioria dos homens pode ser corretamente colocada) é apenas uma longa e contínua orgia de intercurso sexual na qual todas as suas melhores e mais poderosas emoções são semeadas descontroladamente aos quatro ventos. Essa não é apenas a opinião do autor, é uma declaração de fato baseada na análise cuidadosa de mais de vinte mil pessoas. O estudo e a análise inteligentes de vinte mil pessoas resultaram em uma classificação muito precisa de toda a raça humana.

Entre os excessos na alimentação e no contato sexual, o homem médio tem pouca energia restante para outros usos até passar os 40 anos de idade, e em muitos casos os homens nunca adquirem o domínio de si mesmos com relação a essas duas fraquezas. A triste verdade é que a maioria dos homens não vê o exagero na alimentação e no contato sexual como excessos perigosos que destroem suas chances de sucesso na vida. Não há o que discutir sobre os efeitos nocivos do uso excessivo de álcool e narcóticos, uma vez que todo mundo sabe que tal abuso é fatal para o sucesso, mas nem todo mundo sabe que os excessos no contato sexual e na alimentação podem ser tão desastrosos quanto.

O desejo de contato sexual é o mais forte, mais poderoso e mais impulsionador de todos os desejos humanos e por isso mesmo pode ser aproveitado e transmutado em outros canais que não o do contato sexual, de maneira que elevará uma pessoa ao status de gênio. Por outro lado, se não for controlado e transmutado, esse impulso poderoso pode rebaixar – e muitas vezes rebaixa – o homem ao nível de um animal comum.

Para encerrar este capítulo, o autor gostaria de oferecer uma resposta àqueles que possam achar que mesmo a breve referência ao tema do sexo poderia ser prejudicial a rapazes e moças. A resposta é a seguinte: a ignorância sobre sexo, devido à falta de livre discussão por aqueles que realmente entendem do assunto, resultou no uso destrutivo da emoção do sexo ao longo dos séculos. Além disso, se alguém sentir que a breve referência pode prejudicar a moral dos jovens desta geração, que tal pessoa tenha em mente que a maioria dos jovens obtém educação sexual de fontes menos louváveis do que um livro dessa natureza, e tal educação é em geral acompanhada de interpretações do poder do sexo que de maneira alguma relacionam os temas sexo e genialidade ou sequer sugerem que possa existir a possibilidade da transmutação da energia sexual em obras de arte e literárias da mais louvável ordem, liderança empresarial e uma infinidade de outras formas de serviço úteis e construtivas.

Esta é uma era de discussão franca dos grandes mistérios da vida, entre os quais o sexo pode ser corretamente classificado. Por fim, o impulso do sexo é de natureza biológica e não pode ser suprimido pelo silêncio. Na verdade, a emoção do impulso sexual é a melhor de todas as emoções humanas, e a relação sexual é a mais bela de todas as relações. Por que então propagar a ideia de que o relacionamento sexual é algo feio e vulgar, tentando encobrir o assunto com pesado silêncio?

Por falta de espaço, o tema do MasterMind deve terminar aqui. Passamos para a discussão sobre o segundo dos dezessete fatores da Lei do Sucesso, lamentando que esta falta de espaço nos impeça de discutir os restantes dezesseis temas de forma tão extensiva como fizemos com o MasterMind.

LIÇÃO 2

OBJETIVO PRINCIPAL DEFINIDO

Para ser bem-sucedido em qualquer tipo de empreendimento você deve ter uma meta *definida* para atingir. Deve ter planos definidos para alcançar essa meta. Nada que valha a pena é conseguido sem um plano definido de procedimento seguido sistemática e continuamente dia após dia.

O *objetivo principal definido* é colocado no início das dezessete Leis do Sucesso porque sem ele as outras dezesseis leis seriam inúteis; afinal, como alguém poderia esperar ter sucesso ou como poderia saber que o alcançou sem antes ter determinado o que queria realizar?

Durante os últimos vinte e poucos anos o autor analisou mais de vinte mil pessoas em quase todas as esferas da vida e, por mais surpreendente que possa parecer, 95% eram fracassadas. Isso quer dizer que mal ganhavam o necessário para sobreviver, algumas delas nem isso. As outras 5% eram bem-sucedidas; no caso, "sucesso" significa que ganhavam o suficiente para todas as necessidades e reservavam algo em prol da independência financeira definitiva.

O ponto importante dessa descoberta foi que as 5% bem-sucedidas tinham um objetivo principal definido e também um plano para atingi-lo. Em outras palavras, aquelas que sabiam o que queriam e tinham um plano para consegui-lo estavam obtendo sucesso, enquanto aquelas que não sabiam o que queriam estavam obtendo exatamente isso – nada.

EXISTE UMA FORMA GARANTIDA
DE EVITAR CRÍTICAS:
NÃO SER NADA,
NÃO FAZER NADA.
ARRANJAR UM EMPREGO QUALQUER
E MATAR A AMBIÇÃO.
ESSA FÓRMULA SEMPRE FUNCIONA.

Se um homem está envolvido na atividade de vendas ou na prestação de um serviço que exige certos métodos para lidar com os clientes e assim fidelizá-los, deve ter um plano definido para a obtenção desse resultado. O plano pode ser de um jeito ou de outro, mas deve ser distinto e de tal natureza que impressione a mente dos clientes de modo favorável. Qualquer um pode entregar mercadorias para aqueles que vêm voluntariamente pedi-las, mas nem todo mundo desenvolve a arte de entregar com as mercadorias aquele "algo mais" invisível que faz com que o cliente retorne. É aqui que entra em cena a necessidade de um objetivo definido e de um plano definido para alcançá-lo.

Nos últimos anos, os postos de gasolina tornaram-se tão numerosos que podem ser encontrados em todas as esquinas, por assim dizer, em qualquer comunidade. A gasolina, o diesel e outros suprimentos vendidos na maioria desses postos são bons, havendo pouca diferença de qualidade. Apesar disso, há motoristas que se desviam quilômetros de seu caminho ou retardam o abastecimento até o último minuto com o objetivo de comprar a gasolina ou óleo em seu posto favorito.

Agora, a questão que surge é: o que leva essas pessoas a fazer isso? A resposta é: as pessoas preferem os postos onde são atendidas por funcionários que as acolhem.

O que se entende por "funcionários que as acolhem"? Significa que uns poucos funcionários de postos de abastecimento criaram planos definidos para estudar e atender os motoristas de tal maneira que eles retornem lá. Gasolina e diesel bons, por si só, não podem competir com o gerente do posto de abastecimento que assume o compromisso de conhecer as pessoas e atendê-las de acordo com suas peculiaridades e características. Um gerente se encarrega de observar os pneus de cada automóvel que acessa o posto e, quando vê um pneu que precisa ser calibrado, oferece o serviço prontamente. Se o para-brisa estiver empoeirado ou sujo, ele limpa com um pano molhado. Se um carro está coberto de poeira, ele se ocupa com um espanador. Dessas e de muitas outras maneiras, ele impressiona o motorista assumindo o compromisso de prestar um serviço diferenciado. Tudo isso não é "por acaso". Ele tem um plano definido e também um objetivo definido, que é trazer os motoristas de volta a seu posto.

Essa é uma breve explicação do que se entende por objetivo principal definido.

Agora iremos um pouco mais fundo no estudo do princípio psicológico que embasa a lei do objetivo principal definido. O estudo cuidadoso de mais de uma centena de líderes em praticamente todos os setores da vida revelou que todos eles trabalharam com um objetivo principal definido e também com um plano definido para realizá-lo.

A mente humana é como um ímã que atrai as contrapartes dos pensamentos dominantes mantidos na mente, especialmente aqueles que constituem uma meta ou objetivo principal definido. Por exemplo, se um homem estabelece como objetivo principal definido e propósito diário de trabalho a adição de cem novos clientes que comprarão regularmente a mercadoria ou o serviço que ele presta, imediatamente essa meta ou objetivo torna-se uma influência dominante em sua mente e essa influência vai levá-lo a fazer o que for necessário para garantir os cem clientes adicionais.

Fabricantes de automóveis e outros produtos muitas vezes estabelecem o que chamam de "metas", determinando o número de unidades que devem ser vendidas em cada território. Essas metas, quando definitivamente estabelecidas, constituem um objetivo principal definido para o qual todos os envolvidos na distribuição do produto dirigem seus esforços. Raramente alguém deixa de alcançar as metas estabelecidas, mas é fato bem conhecido que sem metas as vendas seriam muito menores. Em outras palavras, para alcançar o sucesso nas vendas ou em praticamente qualquer outra linha de empreendimento, deve-se estabelecer um alvo no qual atirar, por assim dizer; sem esse alvo, os resultados serão escassos.

Nos últimos anos, juntamente com descobertas surpreendentes como o rádio, a televisão, o domínio do ar, etc., os cientistas descobriram que qualquer homem pode atingir praticamente qualquer propósito que possa estabelecer na própria mente com um objetivo principal definido. É literalmente verdade que o homem com um objetivo definido e plena fé em sua capacidade de alcançá-lo não pode ser permanentemente derrotado. Ele pode deparar com a derrota temporária, talvez muitas dessas derrotas, mas nunca com o fracasso.

O primeiro passo no caminho para o sucesso é saber para onde você está indo, como pretende viajar e quando pretende chegar lá, o que é apenas outra maneira de dizer que você deve determinar um objetivo principal definido. Esse objetivo, quando decidido, deve ser escrito de forma clara, de modo que possa ser entendido por qualquer outra pessoa. Se há algo nebuloso em seu objetivo, ele não é definido. Um homem que sabia o que estava dizendo certa vez afirmou que 90% do sucesso em qualquer empreendimento estava em saber o que se queria. Isso é verdade.

No momento em que você escreve uma declaração de sua meta principal, sua ação planta uma imagem firme dessa meta em sua mente subconsciente e, mediante um processo que até mesmo os cientistas mais esclarecidos ainda não descobriram, a natureza faz com que sua mente subconsciente utilize essa meta principal como um modelo ou projeto que direciona a maioria de seus pensamentos, ideias e esforços para a realização do objetivo em que a meta se baseia. Esta é uma verdade estranha e abstrata – algo que não pode ser pesado nem medido –, mas é uma verdade mesmo assim.

Você verá mais dos mistérios dessa estranha lei quando chegar à lei da imaginação mais adiante e também quando abordar algumas das outras leis.

LIÇÃO 3

AUTOCONFIANÇA

A terceira das dezessete Leis do Sucesso é a autoconfiança. O termo é autoexplicativo – significa que, para alcançar o sucesso, você deve acreditar em si. No entanto, não significa que você não tenha limitações, mas que deve fazer um inventário de si mesmo, descobrir quais as suas qualidades que são fortes e úteis e, em seguida, organizar essas qualidades em um plano definido de ação para atingir o objetivo principal definido.

Em todos os idiomas do mundo, não há uma palavra que carregue o mesmo significado ou se aproxime do significado da palavra "fé". Se existem "milagres", eles são realizados apenas com o auxílio de uma fé extraordinária.

A mente cética não é uma mente criativa. Pesquise onde quiser, você não encontrará um único registro de uma grande realização, em qualquer linha de atuação, que não tenha sido concebida na imaginação e trazida para a realidade por meio da fé.

Para ter sucesso, você deve ter fé na própria capacidade de fazer qualquer coisa que condicione sua mente a fazer. Além disso, deve cultivar o hábito da fé naqueles que estão associados a você, estejam eles em posição de autoridade sobre você ou você sobre eles. A razão psicológica para isso será coberta em detalhes na lei da cooperação mais adiante.

Céticos não são construtores. Se Colombo não tivesse autoconfiança e fé no próprio julgamento, a parte mais rica e gloriosa da Terra poderia

POBREZA, A CRUZ MAIS PESADA DE TODAS

Na imagem acima você vê o símbolo do mais pesado dos castigos, a cruz da pobreza. Todos os homens que lutam para subir com dificuldade pela estrada da vida carregam uma cruz de um tipo ou de outro, mas a figura em primeiro plano é a mais amaldiçoada. O autor da Lei do Sucesso sabe por experiência própria o quão pesada pode ser essa cruz e, por saber, dedicou a vida à organização de uma filosofia para ajudar a aliviar o peso desse fardo.

nunca ter sido descoberta, e estas linhas poderiam nunca ter sido escritas. Se George Washington e seus famosos compatriotas históricos de 1776 não tivessem autoconfiança, as tropas de Cornwallis teriam vencido, e os Estados Unidos da América hoje seriam governados de uma pequena ilha a quase cinco mil quilômetros de distância a leste.

Um objetivo principal definido é o ponto de partida de toda a realização notável, mas autoconfiança é a força invisível que persuade, conduz ou orienta dia após dia até que o objetivo torne-se realidade. Sem autoconfiança, as realizações do homem nunca iriam além do estágio de "objetivo", e meros objetivos por si só não valem nada. Muita gente tem objetivos vagos, mas não chega a lugar algum porque carece da autoconfiança para criar planos definidos para alcançar esses objetivos.

O medo é o principal inimigo da autoconfiança. Toda pessoa vem ao mundo amaldiçoada em certa medida com seis medos básicos que devem ser dominados antes de que se possa desenvolver autoconfiança suficiente para alcançar um sucesso notável. Os seis medos básicos são:

- Medo da crítica;
- Medo da doença;
- Medo da pobreza;
- Medo da velhice;
- Medo de perder o amor de alguém (em geral chamado de ciúme);
- Medo da morte.

O espaço não permite uma longa descrição de onde e como esses seis medos surgiram. Essencialmente, são adquiridos na primeira infância, por aprendizado, narração de histórias de fantasmas, discussões sobre o "fogo do inferno" e de muitas outras maneiras. O medo da crítica é colocado no topo da lista porque talvez seja o mais comum e um dos mais destrutivos.

Não fosse o medo da crítica, os homens não ficariam carecas, já que a calvície é decorrente de chapéus apertados, e a maioria dos homens só usam chapéu porque têm medo do que os outros vão dizer se não usarem. As mulheres raramente são calvas, pois usam chapéus folgados que permitem à energia nervosa alimentar a raiz dos cabelos de forma adequada.

O conhecimento do medo básico da crítica rende centenas de milhões de dólares para os fabricantes de vestuário a cada ano e custa a mesma quantia às pessoas tímidas, porque a maioria carece de personalidade ou de coragem para usar roupas da temporada passada. Até certo ponto, o medo básico da crítica também é empregado pelos fabricantes de automóveis, que mudam os modelos a cada temporada, já que muitos homens não querem dirigir um carro cujas linhas e aparência geral são de uma temporada ou mais atrás.

Antes que possa desenvolver autoconfiança suficiente para superar os obstáculos que se interpõem entre você e o sucesso, você deve fazer um inventário de si mesmo e descobrir quantos dos seis medos básicos estão em seu caminho. Poucos dias de estudo, pensamento e reflexão permitirão que você identifique prontamente qual ou quais deles estão entre você e sua autoconfiança. Uma vez que descubra esses inimigos, você poderá eliminá-los com facilidade por um procedimento descrito mais adiante.

Os medos da doença, pobreza, velhice e morte são resultantes principalmente dos ensinamentos de uma época passada, quando os homens foram instruídos a acreditar que a morte poderia trazer consigo um mundo e uma vida mais horríveis do que esta aqui na Terra, uma vida associada ao fogo e tormento eternos. O efeito desse ensinamento chocou a sensibilidade da mente humana de tal maneira que o medo ficou embutido na mente subconsciente e dessa forma foi transmitido de pai para filho, mantendo-se vivo de geração em geração. Os cientistas divergem quanto à medida em que tais medos podem ser transmitidos de pai para filho pela hereditariedade física, mas todos concordam que a simples discussão de tais assuntos na presença de uma criança é suficiente para plantar o impulso do medo em sua mente subconsciente, onde nada além de uma forte resolução e grande fé em uma crença oposta à coisa temida pode eliminar os danos causados.

O medo de perder o amor de alguém (ciúme) é remanescente dos dias de selvageria humana, quando era hábito do homem roubar a companheira de outro à força. A prática de roubar a companheira de outro homem ainda existe em certa medida, mas o roubo agora ocorre por sedução de vários tipos – roupas finas, automóveis, peles, joias e outras bugigangas – e não pelo uso da força. De qualquer modo, esse elemento ainda está presente o bastante no animal homem para mantê-lo temeroso até certo ponto. Assim, o medo da perda do amor (ou ciúme) tem uma base biológica, bem como econômica, para a sua existência. O ciúme é uma forma de insanidade, pois muitas vezes não tem a menor razão de ser. Apesar disso, esse medo provoca sofrimento, aborrecimento e fracasso indescritíveis neste mundo. Entender a natureza desse medo e como alguém passa por ele é um passo na direção de seu domínio.

Todos os leitores dessa filosofia devem fazer uma certa quantidade de leitura paralela, selecionando biografias de homens que alcançaram sucesso extraordinário, pois é certo que isso revelará que tais homens depararam com praticamente todo tipo concebível de derrota temporária e, não obstante essas experiências desencorajadoras, desenvolveram autoconfiança suficiente para capacitá-los a superar cada obstáculo que encontraram no caminho. Entre os livros recomendados pelo autor da Lei do Sucesso estão *The Man from Maine*, de Edward W. Bok, *Compensation*, de Ralph Waldo Emerson, *The Age of Reason,* de Thomas Paine, *The Ascent of Man,* de Henry Drummond, *The Science of Power,* de Benjamin Kidd.

Esses cinco títulos fornecem a história completa do processo evolutivo incrivelmente interessante por meio do qual a mente do homem chegou a seu atual estágio de desenvolvimento. Aliás, depois de ler esses livros, você terá uma base melhor sobre a qual construir sua autoconfiança, pois entenderá por que existem poucas "impossibilidades" conhecidas pelo homem, se é que existe alguma. De todo jeito, leia pelo menos os dois últimos livros se não puder ou não quiser ler a lista inteira. Ao fazê-lo e ao entender o que lê, você terá o equivalente ao melhor tipo de educação universitária sob muitos pontos de vista.

LIÇÃO 4

HÁBITO DE ECONOMIZAR

É embaraçoso admitir, mas é verdade, que uma pessoa assolada pela pobreza é menos do que o pó da terra quando se fala da obtenção de sucesso notável. Talvez seja verdade que dinheiro não é sucesso, mas, a menos que você o tenha ou possa comandar seu uso, não vai chegar muito longe, não importa qual seja seu objetivo principal definido.

Da maneira como os negócios são conduzidos hoje – e como a civilização está – o dinheiro é absolutamente essencial para o sucesso, e não existe uma fórmula conhecida para a independência financeira exceto aquela ligada de uma forma ou de outra à economia sistemática. O montante economizado de semana em semana ou mês a mês não é tão importante quanto o fato de a economia ser regular e sistemática. Isso é verdade porque o hábito de poupar acrescenta algo às outras qualidades essenciais para o sucesso que não pode ser obtido de outra maneira.

É improvável que uma pessoa possa desenvolver a maior autoconfiança possível sem a proteção e a independência que pertencem àqueles economizam dinheiro. Saber que possui um dinheiro guardado confere uma autoconfiança e uma fé que não se pode obter de outra forma.

Sem dinheiro a pessoa fica à mercê de qualquer um que pretenda explorá-la ou saqueá-la. Se um homem que não economiza e não tem dinheiro oferece serviços a outro, terá que aceitar o que o comprador oferecer, não há alternativa. Se aparece uma oportunidade de lucrar por comércio ou de alguma outra forma, ela não é de nenhum proveito para o homem que não tem dinheiro nem crédito, e deve-se manter em mente que o crédito geralmente se baseia na quantidade de dinheiro que se tem ou no seu equivalente.

Quando a filosofia da Lei do Sucesso foi criada, o hábito de economizar não foi incluído como uma das dezessete leis. O resultado foi que milhares de pessoas que experimentaram a filosofia reconheceram que ela os levou quase até a obtenção do seu objetivo, para então despedaçar suas esperanças contra as rochas – do quê? Durante anos, o autor do curso e criador da filosofia procurou a razão pela qual a Lei do Sucesso não alcançava sua finalidade por um triz. Depois de muitos anos de experimentação e de investigação, enfim foi descoberto que faltava uma lei – e era a lei do hábito de economizar.

Quando essa lei foi adicionada, os estudantes da filosofia da Lei do Sucesso começaram a prosperar sem exceção; agora, apenas três anos desde que a descoberta foi feita, milhares de pessoas já usaram a filosofia para a obtenção do sucesso e sequer um único caso de fracasso foi relatado.

Sua renda é de pouca importância se você não economizar sistematicamente uma parte dela. Uma renda anual de US$ 10 mil não é melhor do que de US$ 2 mil a menos que uma parte seja poupada. De fato, uma renda anual de US$ 10 mil pode ser muito pior para um homem do que uma de US$ 2 mil se toda a quantia é gasta e dissipada, pois o ato de dissipação pode comprometer a saúde e destruir as chances de sucesso de outras maneiras.

Milhões de pessoas leram histórias de grandes escritores sobre as estupendas realizações e a grande riqueza de Henry Ford, mas é seguro afirmar que nenhuma se deu ao trabalho de pensar o suficiente para determinar o real fundamento do sucesso de Ford. Em um teste feito pelo autor da Lei do Sucesso, quinhentas pessoas receberam um esboço dos doze fundamentos amplamente responsáveis pelo sucesso de Ford. Nesse esboço foi destacado que o montante de dinheiro recebido a cada ano pela varredura do chão e retirada do lixo das fábricas da Ford chegava a cerca de US$ 600 mil. Nenhuma das quinhentas pessoas deu qualquer importância ao fato. Nenhuma delas sequer descobriu, ou se descobriu não mencionou, que Ford sempre foi um poupador sistemático de recursos.

O hábito de gastar é altamente desenvolvido na maioria dos norte-americanos, mas sabemos pouco sobre o importante hábito da economia. Woolworth construiu o arranha-céu mais alto do mundo e acumulou uma fortuna de mais de US$ 100 milhões poupando as moedas de dez centavos que milhões de americanos jogavam fora em tralha de que não precisavam. O hábito de gastar dinheiro é uma mania para a maioria das pessoas, e esse hábito as mantém trabalhando árdua e constantemente todos os dias de suas vidas.

Testes mostraram de forma conclusiva que a maioria dos empresários não colocará recursos ou mesmo cargos de responsabilidade nas mãos daqueles que não têm o hábito de poupar dinheiro. O hábito de economizar é o melhor tipo de recomendação para qualquer homem, não importa que posição possa ter ou queira vir a ter.

O falecido James J. Hill (que era muito bem preparado para falar com autoridade sobre o assunto) disse que existe uma regra com a qual qualquer homem pode se testar e determinar de antemão se terá ou não sucesso na vida. A regra era: "Ele deve ter desenvolvido o hábito de guardar dinheiro sistematicamente".

LIÇÃO 5

INICIATIVA E LIDERANÇA

Todas as pessoas podem ser classificadas em duas categorias gerais – líderes e seguidores. Não é frequente os "seguidores" alcançarem sucesso digno de nota, e eles nunca o fazem sem antes deixar de ser seguidores para se tornar "líderes".

Há uma noção equivocada sendo transmitida pelo mundo entre uma certa classe de pessoas no sentido de que um homem é pago por aquilo que sabe. Isso é verdade apenas em parte e, como todas as outras meias verdades, causa mais danos do que uma mentira deslavada.

A verdade é que um homem é pago não só por aquilo que sabe, mas mais especificamente por aquilo que faz com o que sabe ou aquilo que faz os outros fazerem.

Sem *iniciativa* nenhum homem alcançará o sucesso, não importa o que possa considerar sucesso, porque não fará nada além do trabalho corriqueiro medíocre, como quase todos são obrigados a fazer a fim de ter um lugar para dormir, algo para comer e roupas para vestir. Essas três necessidades podem ser mais ou menos supridas sem o auxílio de *iniciativa* e *liderança*, mas, a partir do momento em que um homem decide adquirir mais do que os itens básicos da vida, deve cultivar os hábitos da *iniciativa* e da *liderança* ou dará por si preso atrás de uma muralha de pedra.

O primeiro passo essencial no desenvolvimento da iniciativa e da liderança é formar o hábito de tomar decisões rápidas e firmes. Todas as pessoas bem-sucedidas têm uma certa quantidade de decisões a tomar. O homem que oscila entre duas ou mais noções mal-acabadas e vagas do que quer fazer geralmente acaba não fazendo nada.

Houve muita conversa sobre a construção do Canal do Panamá por muitas gerações, mas o trabalho real de construir o canal nunca foi muito além disso até o falecido Theodore Roosevelt tornar-se presidente dos Estados Unidos. Com a firmeza de decisão que foi o alicerce de suas realizações e a verdadeira base de sua reputação como líder, Roosevelt tomou a iniciativa, elaborou um projeto de lei para o Congresso aprovar, provisionando o dinheiro, lançou-se ao trabalho com espírito de autoconfiança, além de um objetivo definido e um plano definido para a realização e pronto! O tão falado Canal do Panamá tornou-se uma esplêndida realidade.

Não basta ter um objetivo principal definido e um plano definido para a sua realização, mesmo que o plano seja perfeitamente prático e você tenha toda a aptidão necessária para conduzi-lo até o sucesso. Você precisa mais do que isso – precisa realmente tomar a iniciativa, colocar seu plano em movimento e mantê-lo em operação até o objetivo ser alcançado.

Estude aqueles que você sabe serem fracassados (você vai encontrá-los por todos os lados) e observe que, sem uma única exceção, eles não têm firmeza de decisão nem mesmo em questões insignificantes. Essas pessoas geralmente falam muito, mas são de fraco desempenho. "Ações, não palavras" deve ser o lema do homem que pretende ter sucesso na vida, não importa qual a vocação ou qual o objetivo principal definido.

A falta de decisão muitas vezes resultou em insanidade. Nada é tão ruim ou terrível uma vez que se tomou a decisão de enfrentar as consequências. Essa verdade foi demonstrada de forma bastante clara por um homem condenado à morte na cadeira elétrica. Quando perguntado como se sentia sabendo que estaria morto em meia hora, ele respondeu: "Bem, não me incomoda em nada. Me convenci de que teria que ir em algum momento, e poderia ser agora como alguns anos mais tarde, porque minha vida nada mais foi do que um triste fracasso e uma fonte constante de problemas. Apenas pense, em breve estará tudo acabado". O homem na verdade estava aliviado porque as responsabilidades da vida a que se submetera e que o haviam levado a um final tão indigno estavam prestes a cessar.

Líderes proeminentes e bem-sucedidos são sempre pessoas que tomam decisões rapidamente; contudo, não se deve presumir que decisões rápidas sejam sempre aconselháveis. Há circunstâncias que exigem deliberação, o estudo dos fatos relacionados à decisão a tomar etc. No entanto, após recolher e organizar todos os fatos disponíveis, não há desculpa para adiar a decisão, e a pessoa que tem o hábito de tal adiamento não se tornará uma líder eficaz até superar essa deficiência.

Júlio César há muito queria vencer o exército de outro país, mas hesitava porque não tinha certeza da lealdade do próprio exército. Então formulou um plano para assegurar a lealdade. Carregou seus soldados em barcos até as margens do inimigo, desembarcou os homens e os equipamentos de guerra e em seguida deu ordens para que queimassem todos os barcos. Virando-se para os generais, ele disse: "Agora é vencer ou morrer! Não temos escolha. Contem aos seus homens e avisem que é a vida dos nossos inimigos ou a nossa". Foram para a batalha e venceram porque todos os soldados tomaram a decisão de vencer.

Durante a guerra civil norte-americana, o general Ulysses Grant disse: "Lutaremos ao longo dessas linhas por todo o verão se for preciso", e, apesar de suas deficiências, tomou a decisão e venceu.

Quando questionado por um de seus marinheiros sobre o que faria se não vissem sinais de terra no dia seguinte, Colombo respondeu: "Se não avistarmos terra amanhã, continuaremos navegando". Ele também tinha um objetivo principal definido, um plano definido para a sua realização e havia tomado a decisão de não voltar atrás.

É fato conhecido que muitos homens não conseguem fazer o seu melhor até que estejam de fato encurralados, sob o estresse da necessidade mais urgente. O perigo iminente permitirá a um homem desenvolver coragem sobre-humana e força física e mental muito desproporcional àquela normalmente utilizada.

Napoleão, surpreendido pelo inimigo e tendo descoberto que havia uma vala funda camuflada logo à frente da linha de marcha de seu exército, deu ordem para a cavalaria avançar. Esperou até os cadáveres de homens e cavalos encherem o fosso e em seguida marchou em frente com seus soldados e acabou com o inimigo. Isso exigiu decisão, mais do que isso, exigiu uma decisão instantânea. Um minuto de hesitação e ele teria sido rodeado pelo inimigo e capturado. Ele fez o inesperado, o "impossível", e se safou.

No campo das vendas, quase todo vendedor conhece a desculpa estereotipada: "Vou pensar melhor e aviso mais tarde", o que na realidade significa: "Não desejo comprar, mas me falta coragem para chegar a uma decisão definitiva e dizer não francamente". Sendo um líder e compreendendo o valor da iniciativa, o verdadeiro vendedor não aceita desculpas desse tipo como resposta. O verdadeiro vendedor começa imediatamente a auxiliar o potencial comprador no processo de "pensar melhor" e em pouco tempo o trabalho está concluído e a venda, realizada.

LIÇÃO 6

IMAGINAÇÃO

Nenhum homem jamais conseguiu nada, criou nada, construiu qualquer plano ou desenvolveu um objetivo principal definido sem o uso da imaginação. Tudo o que qualquer homem já criou ou construiu foi primeiro visualizado em sua mente por meio da imaginação.

Anos antes de torná-lo realidade, o falecido John Wanamaker viu na imaginação praticamente todos os detalhes do negócio gigantesco que hoje leva o seu nome; sem capital necessário para criar tal negócio na época, conseguiu obtê-lo e viveu para ver o que havia imaginado tornar-se uma realidade esplêndida.

No ateliê da imaginação pode-se pegar ideias e conceitos antigos e bem conhecidos ou partes de ideias e combiná-los com outras ideias ou partes de ideias antigas e dessa combinação criar algo que pareça novo. Esse processo é o princípio mais importante de todas as invenções.

Pode-se ter um objetivo principal definido e um plano para alcançá-lo, autoconfiança, iniciativa e liderança em abundância e um hábito altamente desenvolvido de economia, porém, se faltar o elemento da imaginação, essas outras qualidades se tornarão inúteis, pois não haverá força motriz para moldar o uso dessas qualidades. No ateliê da imaginação todos os planos são criados, e sem planos nenhuma realização é possível, exceto por mero acidente.

EXISTE POR AÍ UMA IDEIA EQUIVOCADA DE QUE O HOMEM DEVE SER PAGO PELO QUE SABE. NA REALIDADE O HOMEM É PAGO POR AQUILO QUE FAZ COM O QUE SABE OU QUE CONSEGUE QUE OS OUTROS FAÇAM.

Veja como a imaginação pode ser utilizada tanto no início como no final dos planos de sucesso: Clarence Saunders, que criou a conhecida rede de supermercados Piggly-Wiggly, concebeu, ou melhor, tomou emprestada a ideia para suas lojas a partir do sistema de lanchonetes *self-service*. Enquanto trabalhava como balconista em um armazém, Saunders foi almoçar em uma cafeteria. Parado na fila, esperando sua vez no balcão de alimentos, as rodas de sua imaginação começaram a girar, e ele argumentou algo assim para si mesmo: "As pessoas parecem gostar de ficar na fila e se servir. Além disso, mais gente pode ser servida dessa maneira, com menos vendedores. Por que não seria uma boa ideia introduzir esse sistema no ramo das mercearias, de modo que as pessoas pudessem entrar, passear com uma cesta, pegar o que quisessem e pagar na saída?". Naquele exato instante, com aquele pouco de imaginação elementar, Saunders semeou uma ideia que mais tarde tornou-se a rede de supermercados Piggly-Wiggly e fez dele um multimilionário.

Ideias são os produtos mais lucrativos da mente humana, e todas elas são criadas pela imaginação. O sistema de lojas de cinco e dez centavos é resultado da imaginação. Foi criado por F. W. Woolworth e aconteceu assim: Woolworth trabalhava como vendedor em uma loja de varejo. O proprietário queixou-se de que tinha uma quantidade considerável de mercadoria antiga e invendável atravancando a loja e disse que estava prestes a jogar parte dela fora, para ser incinerada, quando a imaginação de Woolworth começou a funcionar.

"Tenho uma ideia de como vender esta mercadoria", disse ele. "Vamos colocar tudo em cima de uma mesa com uma grande placa dizendo que todos os artigos serão vendidos a dez centavos cada." A ideia pareceu viável, foi testada e funcionou de forma satisfatória. Em seguida, desenvolveu-se mais e por fim resultou na grande cadeia de lojas Woolworth, que se espalhou por todo o país e fez do homem que usou sua imaginação um multimilionário.

Ideias são valiosas em qualquer negócio, e o homem que trata de cultivar o poder da imaginação, de onde as ideias nascem, mais cedo ou mais tarde se encontrará no caminho do sucesso financeiro e com um enorme poder a respadá-lo.

Thomas A. Edison inventou a lâmpada elétrica incandescente com o uso da imaginação ao reunir dois princípios antigos e bem conhecidos em uma combinação nunca feita. Uma breve descrição de como isso aconteceu vai ajudá-lo a entender como a imaginação pode resolver problemas, superar obstáculos e estabelecer as bases para grandes realizações em qualquer empreendimento.

Edison descobriu, como outros antes dele, que poderia criar luz aplicando energia elétrica a um fio, aquecendo-o até gerar um calor branco. O problema, no entanto, era que ninguém havia encontrado uma maneira de controlar o calor. O fio queimava assim que era aquecido o suficiente para gerar uma luz clara.

Depois de muitos anos de experimentos, Edison lembrou do antigo e conhecido método de queima de carvão vegetal e percebeu imediatamente que o método detinha o segredo para o controle do calor essencial na criação da luz por aplicação de energia elétrica a um fio. O carvão vegetal é feito colocando-se uma pilha de madeira no chão, ateando fogo à madeira e, em seguida, cobrindo-a com terra, cortando assim a maior parte do oxigênio, o que permite que a madeira queime lentamente, mas sem chama e sem queima completa. Isso porque não pode haver combustão onde não há oxigênio, e só há pouca combustão com pouco oxigênio.

Com esse conhecimento em mente, Edison entrou em seu laboratório, inseriu o fio com o qual vinha trabalhando dentro de um tubo a vácuo, cortando assim todo o oxigênio, aplicou a energia elétrica e eis que obteve uma lâmpada incandescente perfeita. O fio no interior da lâmpada não poderia queimar porque não havia oxigênio para criar combustão suficiente. Portanto, o que aconteceu é que uma das mais úteis invenções modernas foi criada pela combinação de dois princípios conhecidos abordados de uma nova maneira.

Não existe nada de absolutamente novo. O que parece novo é apenas uma combinação de ideias ou elementos de algo antigo. Isso é literalmente verdade na criação de planos de negócios, invenções, produção de metais e em tudo o mais criado pelo homem.

Uma patente "básica", ou seja, que contém princípios realmente novos e, portanto, desconhecidos, raramente é registrada no Escritório de Patentes. A maioria das centenas de milhares de patentes requisitadas e concedidas a cada ano, muitas da natureza mais útil, envolvem apenas uma nova combinação ou arranjo de princípios antigos e bem conhecidos que já foram utilizados muitas vezes antes de outras maneiras e para outros fins.

Quando Saunders criou o famoso sistema de lojas Piggly-Wiggly, nem sequer combinou duas ideias, simplesmente pegou uma ideia antiga que viu em uso e deu uma nova configuração, mas isso exigiu imaginação.

Para cultivar a imaginação de modo que ela por fim comece a sugerir ideias por iniciativa própria, você deve manter um registro de todas as ideias úteis, engenhosas e práticas que vê em uso em outras linhas de trabalho fora da sua própria ocupação, bem como relacionadas a seu trabalho. Comece com um bloco de notas comum e catalogue todas as ideias, conceitos ou pensamentos que lhe ocorrerem e que sejam de uso prático; em seguida, pegue essas ideias e desenvolva novos planos. Aos poucos, chegará o momento em que o poder da sua imaginação irá até o depósito da sua mente subconsciente, onde todos os conhecimentos que você já recolheu estão armazenados, e fará novas combinações, apresentando resultados na forma de ideias novas – ou que parecem novas. Esse procedimento é praticável e foi seguido com sucesso por alguns dos mais conhecidos líderes, inventores e homens de negócios.

Vamos definir a palavra imaginação como "a oficina da mente onde todas as ideias, pensamentos, planos, fatos, princípios e teorias conhecidos pelo homem podem ser agrupados em combinações novas e variadas".

Uma única combinação de ideias, que pode ser meramente partes de ideias antigas e bem conhecidas, pode valer alguns centavos ou alguns milhões de dólares. A imaginação é a faculdade que não tem preço ou valor. É a mais importante das faculdades da mente, pois a partir dela todos os motivos do homem recebem o impulso necessário para se transformar em ação.

O sonhador que não faz nada além de sonhar usa a imaginação, mas fica a dever na utilização eficiente dessa grande faculdade, já que não adiciona o impulso de colocar os pensamentos em ação. É aqui que a iniciativa entra em cena e vai trabalhar para ele, desde que ele esteja familiarizado com as Leis do Sucesso e entenda que ideias por si só são inúteis até serem colocadas em ação.

O sonhador que cria ideias práticas deve respaldá-las com três leis que precedem a da imaginação: objetivo principal definido, autoconfiança e iniciativa e liderança. Sem a influência dessas três leis, nenhum homem pode colocar em ação seus pensamentos e ideias, embora os poderes de sonhar, imaginar e criar possam ser altamente desenvolvidos.

Ter sucesso na vida é assunto que lhe diz respeito! Como? Isso é algo que você deve responder por si, mas no geral deve fazer algo assim:

1. Adotar um objetivo definido e elaborar um plano definido para atingi-lo;
2. Tomar a iniciativa e começar a colocar o plano em ação;

3. Respaldar sua iniciativa com a crença em si mesmo e na sua capacidade de completar o plano.

Não importa quem você é, o que faz, qual a sua renda, quão pouco dinheiro você tem – se você tem uma mente sã e é capaz de usar a imaginação, pode gradualmente criar um espaço que lhe proprocionará respeito e todos os bens materiais de que precise. Não há truque nisto. O procedimento é simples, já que você pode começar com uma ideia, plano ou propósito muito elementar e desenvolvê-lo gradualmente em algo mais pretensioso.

Sua imaginação pode não estar suficientemente desenvolvida nesse momento para que lhe permita criar alguma invenção útil, mas você pode começar a exercitar essa faculdade usando-a para criar formas de melhorar a realização do trabalho atual, seja qual for. Sua imaginação vai se fortalecer à medida que você exiji-la e direcionar seu uso. Olhe ao redor e encontrará muitas oportunidades para exercitar a imaginação. Não espere que alguém mostre o que fazer, use a visão e deixe que sua imaginação sugira o que fazer. Não espere que alguém lhe pague para usar a imaginação, porque a verdadeira recompensa virá do fato de que, cada vez que usá-la de forma construtiva, criando novas combinações de ideias, ela ficará mais forte e, se você mantiver esta prática, chegará o momento em que seus serviços serão procurados ansiosamente a qualquer preço razoável.

Se um homem trabalha em um posto de gasolina, por exemplo, pode parecer que tem poucas oportunidades de usar a imaginação. Nada poderia estar mais errado, pois na verdade qualquer homem em tal posição pode dar à imaginação o melhor tipo de exercício, tratando de cultivar cada motorista a quem servir de tal maneira que este retorne. Além disso, pode ir além e descobrir maneiras de conquistar um novo cliente a cada dia, ou até mesmo um por semana, ou um por mês, e dessa

SE VOCÊ QUER VENDER ALGO PARA MIM, CERTIFIQUE-SE DE CRIAR UM PLANO PARA QUE EU POSSA APROVEITAR O QUE QUER VENDER, POIS ISSO VAI FACILITAR MINHA VIDA, E EU FICAREI MAIS ANSIOSO PARA COMPRAR DO QUE VOCÊ PARA VENDER.

maneira aumentar sua renda substancial e rapidamente. Mais cedo ou mais tarde, com esse tipo de exercício da *imaginação*, respaldado pela autoconfiança e pela iniciativa, além do objetivo principal definido, o homem que segue essa prática terá a certeza de criar algum novo plano que atrairá clientes de todas as partes para seu posto de abastecimento, e ele estará então na grande rodovia para o sucesso.

Uma análise completa das ocupações mostra que a mais rentável como um todo é a relacionada a vendas. O homem cuja mente e imaginação férteis criam uma nova e útil invenção pode não ter aptidão suficiente para comercializá-la e, portanto, pode ter que se desfazer dela por uma ninharia, como na verdade acontece muitas vezes. Mas o homem que tem capacidade para comercializar uma invenção pode fazer – e geralmente faz – uma fortuna com isso.

Qualquer um que possa criar planos e ideias que façam o número de clientes de qualquer empresa aumentar constantemente e que seja capaz de deixar todos os clientes satisfeitos está a caminho do sucesso, independentemente da mercadoria ou do serviço que possa estar vendendo.

Não é o objetivo deste breve esboço da filosofia da Lei do Sucesso mostrar ao leitor o que fazer e como fazê-lo, mas as regras gerais de procedimento aplicadas em todas as iniciativas bem-sucedidas foram aqui enumeradas para que qualquer um possa entendê-las. Essas regras são simples e podem ser facilmente adotadas por todos.

LIÇÃO 7
ENTUSIASMO

Parece mais do que mera coincidência que as pessoas mais bem-sucedidas em todas as esferas da vida – particularmente na área das vendas – sejam do tipo entusiasta. Entusiasmo é uma força motriz que não só dá maior poder para quem o possui, mas é contagioso e afeta todos a quem atinge.

O entusiasmo pelo trabalho em que se está envolvido alivia o peso da tarefa. Foi observado que operários que exercem a penosa função de escavar valas podem espantar a monotonia cantando enquanto trabalham.

Quando os soldados norte-americanos entraram em ação durante a Primeira Guerra Mundial, chegaram cantando e cheios de entusiasmo. Foi demais para os soldados cansados de guerra que já estavam no campo há tempo suficiente para ter desgastado o entusiasmo, e de fato foram adversários fracos para os americanos.

A loja de departamentos Filene, em Boston, é aberta com música tocada pela banda do estabelecimento todos os dias durante os meses de verão. Os vendedores dançam, entram no ritmo da música, e, quando as portas finalmente abrem ao público, os clientes encontram uma multidão de atendentes alegres, entusiastas e sorridentes, muitos ainda cantarolando baixinho a música que dançavam minutos antes. Esse espírito entusiasta permanece com os vendedores ao longo do dia, alivia o trabalho deles e cria na loja uma atmosfera agradável para todos os clientes.

Durante a Primeira Guerra Mundial, descobriu-se que a introdução de música com o auxílio de bandas e orquestras nas fábricas de material bélico estimulou a produtividade, em alguns casos em até 50% acima da produção normal sem música. Além disso, descobriu-se que os trabalhadores não só produziam muito mais durante o dia, como também chegavam ao final da jornada sem fadiga, muitos deles assobiando ou cantarolando a caminho de casa. Entusiasmo dá maior poder aos nossos esforços, não importa em que tipo de trabalho estejamos envolvidos.

O ponto de partida do entusiasmo é o motivo ou desejo bem definido. Entusiasmo é simplesmente uma frequência elevada de vibração da mente. Em outra parte deste livro pode-se encontrar uma lista completa dos estimulantes mentais que induzirão o estado de espírito conhecido como entusiasmo. O impulso do contato sexual é o maior estimulante conhecido. As pessoas que não sentem um forte desejo de contato sexual raramente – se é que alguma vez – são capazes de ficar altamente entusiasmadas com alguma coisa. A transmutação da grande força motriz do desejo sexual é a base de praticamente todas as obras geniais. (Por "transmutação" entende-se a troca do pensamento do contato sexual por qualquer outra forma de ação física.)

A importância do entusiasmo como um dos dezessete fundamentos da Lei do Sucesso é explicada no capítulo sobre o MasterMind. O estranho fenômeno sentido por aqueles que coordenam esforços em espírito de harmonia com a finalidade de aproveitar o MasterMind é meramente uma alta taxa de vibração de suas mentes conhecida como entusiasmo.

É fato bem conhecido que os homens têm exito mais prontamente quando envolvidos na ocupação de que mais gostam, e isso pela razão de que ficam rapidamente entusiasmados com o que gostam mais. O entusiasmo é também a base da imaginação criativa. Quando a mente vibra a uma taxa elevada, fica receptiva a taxas semelhantes de vibração elevada oriundas de fontes externas, proporcionando assim uma condição favorável para a imaginação criativa. Observa-se que o entusiasmo desempenha um papel importante em quatro outros princípios que constituem a filosofia da Lei do Sucesso: MasterMind, imaginação, pensamento preciso e personalidade agradável.

Para ter valor, o entusiasmo tem que ser controlado e dirigido para determinados fins. O entusiasmo não controlado pode ser, e geralmente é, destrutivo. Os atos dos chamados *bad boys* não passam de entusiasmo descontrolado. O desperdício da energia do entusiasmo descontrolado manifestado no contato sexual promíscuo e no desejo sexual não expressado pelo contato pela maioria dos homens jovens seria suficiente para levá-los a grandes realizações se esse impulso fosse aproveitado e transformado em alguma outra forma de ação física.

O próximo capítulo, sobre autocontrole, segue adequadamente o do entusiasmo, já que é necessário autocontrole no domínio do entusiasmo.

LIÇÃO 8

AUTOCONTROLE

A falta de autocontrole trouxe tristeza para mais pessoas do que qualquer outra deficiência conhecida pela raça humana. Esse mal manifesta-se em um momento ou outro na vida de todos nós.

Toda pessoa de sucesso deve ter algum tipo de instrumento de equilíbrio das emoções. Quando um indivíduo perde a paciência, algo que acontece em seu cérebro deve ser melhor compreendido. Quando uma pessoa fica extremamente irritada, as glândulas suprarrenais começam a liberar seu conteúdo no sangue, e, se isso se estender por um longo período de tempo, a quantidade será suficiente para causar sérios danos ao sistema inteiro, podendo até resultar em morte.

As glândulas suprarrenais são o *kit* de reparação da natureza, fazendo com que o sangue coagule e pare o fluxo em caso de lesão. A raiva estimula as suprarrenais na mesma hora, e seu conteúdo começa a verter para o sangue. É o que faz a face de uma pessoa ficar branca e vermelha alternadamente, uma vez que o fluxo de sangue por todo o corpo está temporariamente restringido. Sem dúvida a natureza criou esse sistema para a proteção do homem durante a fase selvagem de seu desenvolvimento, quando a raiva geralmente precedia uma luta terrível com um animal selvagem, o que poderia significar a ruptura de veias e a perda de sangue.

Os cientistas descobriram em experiências que, quando um cão é atormentado até ficar irritado, exala veneno suficiente para matar um porquinho-da-índia a cada expiração. Um homem irritado faz o mesmo.

Mas há outras razões pelas quais deve-se desenvolver o autocontrole. Por exemplo, o homem que carece de autocontrole pode ser facilmente dominado por aquele que o possui e levado a dizer ou fazer o que mais tarde pode ser embaraçoso para ele.

O sucesso na vida é em grande parte uma questão de negociação harmoniosa com outras pessoas, e isso requer autocontrole em abundância.

O autor da filosofia da Lei do Sucesso observou certa vez uma longa fila de mulheres raivosas na frente do balcão de reclamações de uma grande loja de departamentos em Chicago. Observando à distância, viu que a jovem que ouvia as queixas mantinha-se calma e sorria o tempo todo, não obstante algumas mulheres serem bastante agressivas. A jovem encaminhava as mulheres para o departamento certo uma a uma com tamanha compostura que fez o autor chegar mais perto para poder ver o que estava acontecendo. Parada logo atrás da jovem do balcão de reclamações havia outra moça que também ouvia as conversas, fazia anotações e as passava àquela que de fato atendia no balcão. Os bilhetes continham a essência de cada queixa, menos a acidez e agressividade da pessoa que fazia a reclamação. A mulher no balcão era surda como uma porta. Recebia todas as informações de que precisava da assistente atrás dela.

O gerente da loja disse que esse era o único sistema que havia encontrado que permitia lidar com as reclamações corretamente, já que os nervos humanos não eram fortes o suficiente para ouvir durante todo o dia, dia após dia, aquela linguagem agressiva sem que a atendente se irritasse, perdesse o controle e revidasse.

Um homem irritado sofre um grau de insanidade temporária e, portanto, dificilmente é capaz de uma negociação diplomática com outros.

Por esta razão, o homem com raiva ou aquele que não tem autocontrole é uma vítima fácil do homem que possui tal controle. Nenhum homem pode tornar-se poderoso sem antes adquirir o controle sobre si mesmo.

Autocontrole também é um instrumento de equilíbrio para a pessoa muito otimista cujo entusiasmo precisa ser controlado, pois é possível ficar entusiasmada demais, a ponto de aborrecer todos ao seu redor.

LIÇÃO 9

FAZER MAIS DO QUE É PAGO PARA FAZER

Essa lei é uma rocha contra a qual muitas carreiras promissoras se despedaçaram. Existe uma atitude generalizada entre as pessoas de executar apenas o serviço suficiente para sobreviver; porém, se você estudar tais pessoas com cuidado, vai observar que, embora possam de fato estar temporariamente "sobrevivendo", não estão recebendo nada mais. Há duas razões principais pelas quais todas as pessoas bem-sucedidas devem praticar a lei de fazer mais do que é pago para fazer:

1. Assim como um braço ou outro membro do corpo se fortalece na exata proporção da sua utilização, o mesmo acontece com a mente. Ao prestar a maior quantidade possível de serviço, as faculdades com as quais o serviço é prestado são colocadas em uso e por fim tornam-se mais fortes e precisas.
2. Ao prestar mais serviço do que aquele para o qual é pago, você estará direcionando o holofote da atenção favorável para si; não vai demorar muito para receber ofertas excepcionais por seus serviços e haverá mercado contínuo para eles.

"Faça o trabalho e você terá o poder", foi o aviso de Emerson, o grande filósofo moderno. Isso é literalmente verdade. A prática leva à perfeição.

Quanto melhor fizer o seu trabalho, mais apto se tornará a fazê-lo; assim, com o tempo, alcançará tal perfeição que encontrará poucos semelhantes a você no seu campo de atuação – se é que alguém.

Ao entregar mais e melhor serviço do que aquele para o qual é pago, você tira proveito da lei dos retornos crescentes, segundo a qual acabará sendo pago de alguma forma por muito mais serviço do que aquele que de fato presta. Isso não é apenas uma bela teoria fajuta. Realmente funciona na maior parte dos testes práticos. No entanto, você não deve imaginar que a lei sempre funcione instantaneamente. Você pode prestar mais e melhor serviço do que o esperado por uns dias e então interromper a prática e voltar ao velho hábito de fazer o mínimo para ir levando em segurança, e os resultados não vão beneficiá-lo em nada. Porém, adote o hábito como parte de sua filosofia de vida e deixe que todos saibam que você presta mais e melhor serviço por escolha própria, não por acaso, mas por intenção deliberada, e em breve verá uma disputa acirrada por seu trabalho.

Você não vai encontrar muita gente prestando tal serviço, o que é melhor para você, uma vez que vai se destacar em forte contraste com praticamente todos os outros envolvidos em trabalho semelhante ao seu. O efeito do contraste é poderoso, e você pode beneficiar-se dele dessa maneira.

Algumas pessoas utilizam o fraco argumento de que não vale a pena prestar mais e melhor serviço do que o que são pagas para fazer porque isso não é apreciado e elas trabalham para gente egoísta que não reconhece tal serviço. Esplêndido! Quanto mais egoísta o empregador, mais propenso a querer manter uma pessoa comprometida em prestar um serviço incomum, maior em quantidade e melhor em qualidade do que o da maioria. O egoísmo forçará o empregador a reconhecer tais serviços. No entanto, se ele for a exceção que não tem visão suficiente para analisar aqueles que trabalham para ele, então é só uma questão de tempo até tal serviço atrair a atenção de outros empregadores que de bom grado vão recompensar o esforço.

O estudo cuidadoso da vida de homens bem-sucedidos mostrou que praticar fielmente essa única regra trouxe em quantidades abundantes os emolumentos usuais com que o sucesso é mensurado. Se o autor dessa filosofia tivesse que escolher uma das dezessete Leis do Sucesso como a mais importante e descartar todas as outras, escolheria sem um momento de hesitação prestar mais e melhor serviço do que se é pago para fazer.

LIÇÃO 10

PERSONALIDADE AGRADÁVEL

Uma personalidade agradável é, naturalmente, uma personalidade que não antagoniza. A personalidade não pode ser definida em apenas uma palavra, nem com meia dúzia delas, pois representa a soma total de todas as características boas e ruins de uma pessoa.

Sua personalidade é totalmente diferente da de qualquer outro indivíduo. É a soma total de qualidades, emoções, características, aparências, etc. que o distinguem de todas as outras pessoas na Terra.

Suas roupas compõem uma parte importante de sua personalidade, a maneira como as usa, a harmonia das cores que escolhe, a qualidade e muitos outros detalhes indicam muito daquilo que nitidamente faz parte da sua personalidade. Os psicólogos afirmam que podem analisar qualquer pessoa com precisão em muitos aspectos importantes deixando-a livre em uma loja com grande variedade de roupas, instruindo-a para selecionar o que quiser e vestir as peças selecionadas.

A expressão facial exibida pelas linhas do seu rosto, ou a falta de linhas, compõe uma parte importante da sua personalidade. Sua voz, tom, timbre, volume e a linguagem que usa também constituem partes importantes da sua personalidade, porque o classificam instantaneamente como uma pessoa refinada ou não no momento em que fala.

A maneira como você aperta a mão em um cumprimento constitui uma parte importante da sua personalidade. Se, ao apertar as mãos, você simplesmente estende um "pedaço" frio de carne e ossos, flácido e sem vida, está exibindo sinais de uma personalidade sem entusiasmo ou iniciativa.

Uma personalidade agradável geralmente pode ser encontrada na pessoa que fala de maneira suave e gentil, seleciona palavras refinadas que não ofendem e tem um tom de voz modesto; que seleciona roupas de estilo adequado e cores harmônicas; que é altruísta e não apenas está disposta, mas desejosa de servir aos outros; que é amiga de todos, ricos e pobres, independentemente de política, religião e ocupação; que se abstém de falar mal dos outros, com ou sem motivo; que consegue conversar sem ser atraída para conversas vulgares ou discussões inúteis como política ou religião; que vê tanto o bom quanto o mau nas pessoas, mas dá um desconto para o último; que busca não corrigir e repreender os outros; que sorri com frequência e de forma sincera; que ama música e criancinhas; que se solidariza com todos os que estão em apuros e perdoa atos de indelicadeza; que de boa vontade concede aos outros o direito de fazer o que quiserem, desde que não interfiram nos direitos de terceiros; que se esforça sinceramente para ser construtiva em cada pensamento e ação; que incentiva os outros e os estimula para um melhor desempenho na linha de trabalho escolhida.

Personalidade agradável é algo que pode ser adquirido por qualquer pessoa determinada a aprender a abrir na vida sem atrito, com o objetivo de se relacionar de forma pacífica e tranquila com os outros.

Um dos homens mais conhecidos e de maior sucesso dos Estados Unidos disse certa vez que preferiria ter uma personalidade agradável, conforme definida nesse curso, ao diploma que lhe foi concedido mais de cinquenta anos atrás pela Universidade de Harvard. Na opinião dele, um homem de personalidade agradável poderia realizar mais do que ele com seu diploma universitário, mas tal sem personalidade.

O desenvolvimento de uma personalidade agradável requer o exercício do autocontrole, pois haverá muitos incidentes e muita gente para testar sua paciência e destruir suas boas intenções de ser agradável. No entanto, a recompensa é digna do esforço, porque aquele que possui uma personalidade agradável destaca-se com tanto contraste da maioria das pessoas ao seu redor que suas qualidades agradáveis tornam-se ainda mais pronunciadas.

Quando Abraham Lincoln era jovem, ficou sabendo que um grande advogado, conhecido como orador impressionante, defenderia um cliente acusado de assassinato cerca de 65 quilômetros de sua casa. Ele percorreu a distância a pé para ouvir o homem que era um dos oradores mais fascinantes do Sul. Depois do discurso, quando o orador estava de saída da sala do tribunal, Lincoln foi até ele, estendeu a mão áspera e disse: "Caminhei 65 quilômetros para ouvi-lo, se precisasse fazer novamente, andaria 160". O advogado olhou para o jovem Lincoln de cima a baixo, empinou o nariz e, de forma arrogante, saiu sem falar com ele.

Anos mais tarde, os dois se encontraram de novo, dessa vez na Casa Branca, onde o advogado foi apresentar uma petição ao presidente dos Estados Unidos em nome de um homem condenado à morte. Lincoln ouviu pacientemente tudo que o advogado tinha a dizer e, quando este acabou de falar, o presidente disse: "Vejo que você não perdeu nada da eloquência desde que o ouvi pela primeira vez defendendo um assassino anos atrás, mas mudou consideravelmente em outros aspectos, pois agora parece um cavalheiro educado e refinado, que não foi a impressão que tive em nosso primeiro encontro. Talvez eu tenha cometido uma injustiça, pela qual agora peço perdão. Vou assinar um perdão para o seu cliente, e poderemos dizer que estamos quites".

O rosto do advogado ficou branco e vermelho enquanto gaguejava um breve pedido de desculpas. Pela falta de uma personalidade agradável em seu primeiro encontro com Lincoln, ele poderia ter sofrido as consequências de sua conduta se o incidente tivesse acontecido com alguém menos caridoso que o grande presidente.

Já foi dito, e talvez corretamente, que "cortesia" representa a mais valiosa característica conhecida pela raça humana. Cortesia não custa nada, todavia gera rendimentos estupendos se praticada como hábito, em espírito de sinceridade.

Um jovem amigo do autor dessa filosofia trabalhou como frentista em um posto de gasolina de uma grande corporação. Um dia, um carrão entrou no posto, e o passageiro desceu enquanto o motorista comprava gasolina. Durante o abastecimento do carro, o passageiro puxou conversa com meu jovem amigo – talvez eu deva dizer jovem "conhecido", para ser mais exato.

"Você gosta do seu trabalho?", o homem perguntou.

"Gosto coisa nenhuma!", respondeu o jovem agressivo. "Gosto tanto quanto um cão adora um gato."

"Bem, se não gosta do trabalho, por que trabalha aqui?", perguntou o homem.

"Porque estou esperando que algo melhor apareça", foi a resposta imediata.

"Quanto tempo acha que vai ter que esperar?", inquiriu o homem.

"Não sei quanto tempo, mas espero sair em breve, pois aqui não há nenhuma oportunidade para uma pessoa brilhante como eu. Tenho ensino médio completo e poderia ocupar um cargo bem melhor se tivesse oportunidade."

"É mesmo?", disse o estranho. "*Se!* Agora, se eu oferecesse um cargo melhor do que o que você tem, você seria melhor do que é agora?"

"Não sei dizer", respondeu o frentista.

"Bem", replicou o estranho, "se me permite dizer, melhores posições geralmente são oferecidas para aqueles que estão preparados para ocupá-las, mas não acredito que você esteja pronto para uma posição melhor, pelo menos não enquanto tiver essa mentalidade. Talvez haja uma grande oportunidade para você exatamente onde está. Deixe-me recomendar que compre um exemplar do livro de Russell Conwell, *Acres de diamantes*, pois pode dar uma ideia que será útil para toda a sua vida."

O estranho entrou no carro e foi embora. Ele era o presidente da empresa proprietária do posto de abastecimento. O jovem estava conversando com seu empregador sem saber, e cada palavra que pronunciou estragou suas chances de atrair uma atenção favorável para si.

Mais tarde aquele posto de gasolina foi colocado sob o comando de um outro jovem, e hoje é uma das estações de serviço mais lucrativas operadas pela empresa que a detém. O posto é o mesmo que era antes de ser entregue à nova gestão, os suprimentos vendidos são exatamente os mesmos, os preços cobrados são os mesmos, mas a personalidade do homem que recepciona e impressiona favorável ou desfavoravelmente aqueles que entram no posto não é a mesma.

Praticamente todo o sucesso na vida depende, em última análise, da personalidade. Uma disposição desagradável pode prejudicar as chances do homem mais educado, e tal disposição não prejudica poucos homens.

Carisma – uma parte da personalidade

A vida pode ser adequadamente chamada de um grande drama, no qual ter carisma é de extrema importância. As pessoas de sucesso em todas as atividades geralmente têm carisma, no sentido de que cultivam o hábito de entreter ou brincar com o público. Vamos comparar alguns homens famosos em termos de carisma. Os seguintes homens tiveram sucesso notável em suas atividades por causa do carisma: Henry L. Doherty, Bernard

O TEMPO É UM MESTRE DE OBRAS QUE CURA AS FERIDAS DO FRACASSO E DA DECEPÇÃO E EQUILIBRA AS DESIGUALDADES, OS ERROS E ACERTOS DO MUNDO. COM O TEMPO, NADA É IMPOSSÍVEL.

Macfadden, Theodore Roosevelt, Henry Ford, Thomas A. Edison, Billy Sunday, E. M. Statler, John H. Patterson, William Randolph Hearst, William C. Durant, Bernard Shaw, Arthur Brisbane. A seguir, outra lista de homens famosos e grande capacidade, mas que deixam a desejar no carisma, se comparados com os da lista anterior: Woodrow Wilson, Calvin Coolidge, Herbert Hoover, Abraham Lincoln, Elmer Gates.

Um homem carismático é aquele que entende como entreter as massas. Sucesso não é uma questão de acaso ou sorte, é o resultado de preparo e planejamento cuidadosos e da capacidade de desempenho dos participantes de um jogo.

O que deve fazer o homem que não foi abençoado com uma personalidade carismática? Estará condenado ao fracasso a vida inteira pelo lapso da natureza em não abençoá-lo com tal personalidade? De modo algum! É aqui que o princípio do MasterMind vem em resgate. Aqueles que não têm personalidade agradável podem cercar-se de homens e mulheres que supram o defeito.

O falecido J. P. Morgan tinha uma atitude bastante belicosa em relação às pessoas, o que o impedia de ser agradável. Entretanto, associou-se a outros que supriam tudo o que lhe faltava nesse aspecto. Henry Ford não foi abençoado pela natureza com carisma, e sua personalidade está longe de ser cem por cento perfeita, mas, sabendo como fazer uso do MasterMind, superou o defeito cercando-se de homens com tal característica.

Quais são as características mais essenciais do homem carismático?

Em primeiro lugar, a capacidade de apelar à imaginação do público e de manter as pessoas interessadas e curiosas em relação às suas atividades. Em segundo lugar, um grande senso de apreciação do valor do apelo psicológico da publicidade. Em terceiro, estado mental alerta o suficiente para capturar e fazer uso dos preconceitos, gostos e desgostos do público no momento psicológico.

Resumo dos elementos da personalidade agradável

- Modo de apertar as mãos;
- Vestuário e postura do corpo;
- Voz – tom, volume e qualidade;
- Diplomacia;
- Sinceridade de propósito;
- Escolha de palavras adequadas;
- Elegância;
- Altruísmo;
- Expressão facial;
- Pensamentos dominantes (que se registram na mente de outras pessoas);
- Entusiasmo;
- Honestidade (intelectual, moral e econômica);
- Magnetismo (alta taxa de vibração devido ao impulso sexual bem definido).

Se você quiser fazer uma experiência interessante – e talvez benéfica –, analise a si mesmo e atribua uma nota em cada um dos treze fatores da personalidade agradável. Uma avaliação precisa desses pontos pode facilmente levar uma pessoa ao conhecimento de fatos que permitiriam eliminar falhas que impossibilitam o sucesso.

Também será uma experiência interessante formar o hábito de analisar aqueles que você conhece intimamente, classificando-os de acordo com os treze pontos aqui descritos. Tal hábito, com o tempo, irá ajudá-lo a encontrar em outras pessoas as causas do sucesso e do fracasso.

LIÇÃO II

PENSAMENTO PRECISO

A arte do pensamento preciso não é difícil de adquirir, embora certas regras definidas devam ser seguidas. Para pensar com precisão deve-se seguir, pelo menos, dois princípios básicos:

1. O pensamento preciso exige a separação dos *fatos* da mera *informação.*
2. *Fatos*, quando verificados, devem ser separados em duas classes: *importantes* e *desimportantes*, ou irrelevantes.

A pergunta que surge naturalmente é: "O que é um fato importante?", e a resposta é: "Um fato importante é aquele essencial à realização do objetivo principal definido ou que possa ser útil ou necessário na ocupação diária. Todos os outros fatos, mesmo que pareçam úteis e interessantes, são relativamente desimportantes no que diz respeito ao indivíduo".

Nenhum homem tem o direito de ter uma opinião sobre qualquer assunto a menos que tenha chegado a esse parecer mediante raciocínio baseado em todos os fatos disponíveis relacionados ao tema. Apesar disso, no entanto, quase todo mundo tem opinião formada sobre quase todos os assuntos, estejam familiarizados ou não com os fatos relacionados a tais assuntos.

Julgamentos e opiniões precipitados que não são opiniões de forma alguma, mas meras conjecturas ou palpites, não têm valor; não há ideia alguma em uma enorme quantidade deles. Qualquer homem pode se tornar um pensador preciso ao inistir em obter os fatos – todos que estejam disponíveis com esforço razoável – antes de chegar a conclusões ou formar opiniões sobre qualquer assunto.

Quando você ouve um homem começar um discurso com generalidades como "Ouvi dizer que isso ou aquilo", ou "Vi no jornal que esse e aquele fizeram isso e aquilo", pode ter certeza de que não é um pensador preciso, e suas opiniões, suposições, declarações e conjecturas devem ser aceitas – se é que devem – com muita cautela.

Tenha cuidado para *você* também não se entregar à linguagem especulativa não baseada em fatos comprovados.

Conhecer os fatos sobre qualquer assunto muitas vezes exige esforço considerável e talvez seja essa a principal razão pela qual tão poucas pessoas se deem ao trabalho de reunir fatos para embasar suas opiniões.

Presume-se que você esteja seguindo essa filosofia com o objetivo de aprender como se tornar mais bem-sucedido. Se isso é verdade, então você deve romper com as práticas comuns das massas que não pensam e deve dedicar tempo a reunir fatos para embasar seus pensamentos. Que isso requer esforço é amplamente sabido, mas deve-se ter em mente que sucesso não é algo que se possa colher em uma árvore onde ele cresce por conta própria. Sucesso representa perseverança, sacrifício pessoal, determinação e caráter forte.

Tudo tem seu preço, e nada pode ser obtido sem o devido pagamento; ou, se algo de valor é obtido, não poderá ser mantido por muito tempo. O preço do pensamento preciso é o esforço necessário para reunir e organizar os fatos sobre os quais embasar o pensamento.

"Quantos automóveis passam por este posto a cada dia?", perguntou o gerente de uma rede de postos de abastecimento a um novo frentista. "E em que dias o tráfego é mais pesado?"

"Sou da opinião...", começou o jovem.

"Não importa a sua opinião", interrompeu o gerente. "O que eu perguntei requer uma resposta baseada em fatos. Opiniões não valem nada quando fatos reais são obteníveis."

Com o auxílio de um contador de bolso, o jovem começou a contar os automóveis que passavam pelo posto a cada dia. Foi um passo além e registrou quantos realmente pararam e adquiriram suprimentos, informando o número diariamente durante duas semanas, inclusive aos domingos.

E isso não foi tudo. Ele calculou o número de automóveis que deveria parar no posto para abastecer dia após dia por duas semanas. Indo ainda além, criou um projeto que custou apenas um cartão postal de um centavo por motorista e que de fato aumentou o número de automóveis que parou no posto nas duas semanas seguintes. Isso não fazia parte de seus deveres, mas a pergunta do empregador o fez pensar, e então ele decidiu lucrar com o incidente.

O rapaz em questão é agora proprietário da metade de uma rede de postos de gasolina e um homem moderadamente rico graças à capacidade de pensar com precisão.

LIÇÃO 12

CONCENTRAÇÃO

O pau para toda obra raramente realiza muito em qualquer trabalho. A vida é tão complexa e existem tantas maneiras de dissipar energia sem obter lucro que o hábito do *esforço concentrado* deve ser formado e mantido por todos os que desejam ter sucesso.

O poder é baseado no esforço ou energia organizados. A energia não pode ser organizada sem o hábito da *concentração* de todas as faculdades em uma coisa de cada vez. Pode-se usar uma lente de leitura comum para concentrar os raios do sol, e eles farão um furo em uma tábua em poucos minutos. Esses mesmos raios não irão sequer aquecer a tábua até que estejam concentrados em um só ponto. A mente humana é algo parecido com a lente de leitura, pois é o meio pelo qual todas as faculdades do cérebro podem ser agrupadas e colocadas para funcionar em formação coordenada, assim como os raios do sol podem ser focados em um ponto com a ajuda de uma lente.

É digno de séria consideração lembrar que todos os homens notáveis de sucesso, em todas as esferas da vida, concentraram a maior parte de seus pensamentos e esforços em algum propósito, meta ou objetivo definido. Prova disso é a lista impressionante de homens cujo sucesso deve-se ao fato de terem adquirido e praticado o hábito da concentração.

Woolworth concentrou-se na ideia única das lojas de cinco e dez centavos, e o resultado fez dele um multimilionário.

A ADVERSIDADE É PARA O SER HUMANO O QUE O FORNO É PARA O TIJOLO: TEMPERA O HOMEM PARA QUE POSSA ASSUMIR RESPONSABILIDADES E SUPERAR OBSTÁCULOS SEM DESMORONAR DIANTE DELES.

Henry Ford concentrou todas as energias no objetivo único de criar um automóvel barato e prático, e essa ideia fez dele o mais rico e poderoso homem sobre a Terra.

Marshall Field concentrou seus esforços em construir "a maior loja do mundo" e foi recompensado com dezenas de milhões de dólares. A grande Field Store, em Chicago, é um monumento vivo à solidez da prática da concentração.

Van Heusen concentrou anos de esforço na produção de um colarinho flexível para camisas, e a ideia o fez rico em um tempo relativamente curto.

Wrigley concentrou seus esforços na produção e venda de um humilde pacote de cinco centavos de goma de mascar e foi recompensado com milhões de dólares pela perseverança.

Edison concentrou sua mente na invenção do fonógrafo, da luz elétrica, do cinema e em dezenas de outras invenções úteis; todas se tornaram realidade e fizeram dele um homem rico.

Edwin C. Barnes concentrou a mente em se tornar parceiro de negócios de Thomas A. Edison e não só alcançou o final desejado, como fez vários milhões de dólares e agora está aposentado, enquanto ainda é um homem relativamente jovem.

Bessemer concentrou seus pensamentos em encontrar a melhor maneira de produzir aço, e o agora famoso processo Bessemer prova que seus esforços não foram em vão.

George Eastman concentrou sua energia em produzir a melhor câmera fotográfica, e esta única ideia fez dele um multimilionário com a Kodak.

Andrew Carnegie vislumbrou uma grande indústria de aço, concentrou a mente no objetivo e fez dezenas de milhões de dólares.

James J. Hill, enquanto ainda trabalhava como telegrafista por quarenta dólares por mês, concentrou-se em um grande sistema ferroviário transcontinental e continuou pensando nisso (e agindo a respeito dos pensamentos também) até tornar a ideia uma esplêndida realidade que fez dele um dos homens mais ricos do seu tempo.

Cyrus H. K. Curtis concentrou seus esforços em produzir a melhor e mais popular revista do mundo, e a esplêndida *Saturday Evening Post* foi apenas um dos resultados. Ele não apenas criou uma grande revista, como seu pensamento concentrado lhe trouxe milhões de dólares.

Orville Wright concentrou-se no propósito único de dominar os céus com uma máquina mais pesada do que o ar e o realizou, como todos sabem.

Edward W. Bok não sabia falar inglês quando chegou nos Estados Unidos, mas logo decidiu se tornar um grande editor de revistas, e seus esforços concentrados fizeram do *Ladies' Home Journal* um grande periódico e dele um homem rico.

Marconi concentrou sua mente sobre o objetivo único de enviar mensagens sem o uso de fios, e agora o som da voz humana pode ser enviado ao redor da Terra sem problemas.

Na verdade, tudo o que o homem pode imaginar, ele pode criar, desde que concentre a mente naquilo com a determinação de não parar antes da vitória.

Frank Gunsaulus era um jovem pregador que teve uma ideia que exigia um milhão de dólares para ser desenvolvida. Ele concentrou a mente na tarefa e escreveu um sermão que lhe trouxe o milhão de dólares na primeira vez em que foi proferido.

Grande e poderosa é a mente humana quando funciona com a ajuda do pensamento concentrado.

Woodrow Wilson decidiu que se tornaria presidente dos Estados Unidos 25 anos antes de realmente ocupar a cadeira na Casa Branca, mas manteve a mente concentrada sobre este único propósito e por fim conseguiu.

Henry L. Doherty concentrou-se na organização e na gestão dos serviços públicos e se tornou um dos maiores e mais ricos operadores nesse campo.

Ingersoll concentrou-se na produção de um relógio bom e prático que pudesse ser vendido por um dólar, e sua ideia, somada a seus esforços concentrados, fez dele um multimilionário.

E. M. Statler concentrou-se na construção de hotéis que prestassem serviços caseiros, sem o incômodo das gorjetas, e se tornou-se líder em hotelaria no mundo, para não falar dos muitos milhões de dólares em riqueza.

Martin W. Littleton ouviu um discurso quando era pequeno que o levou a concentrar a mente na ideia de se tornar o melhor advogado dos Estados Unidos. Dizem que hoje ele não aceita honorários abaixo de US$ 25 mil, mesmo assim está sempre ocupado.

Rockefeller concentrou seus esforços no refino e distribuição de petróleo, e seus esforços trouxeram-lhe dezenas de milhões de dólares.

Russell Conwell concentrou uma vida inteira de esforço no desenvolvimento da famosa palestra "Acres de diamantes", e essa única palestra rendeu-lhe mais de US$ 6 milhões e prestou um serviço para o mundo cuja extensão não pode ser estimada em dinheiro.

Lincoln concentrou sua mente na liberdade da humanidade e concluiu a tarefa superando um final infeliz.

Gillette concentrou-se em produzir uma lâmina de barbear segura, e a ideia fez dele um multimilionário.

William Randolph Hearst concentrou-se em jornais e fez milhões com sua ideia.

Helen Keller nasceu surda, muda e cega, mas com concentração aprendeu a "ouvir" e falar.

John H. Patterson concentrou-se em caixas registradoras, e o mundo lhe pagou um tributo de milhões de dólares pela ideia.

Assim, a história poderia continuar em cadeia contínua como prova de que o esforço concentrado é lucrativo.

Descubra o que deseja fazer – adote um objetivo principal definido –, a seguir concentre todas as energias nesse propósito até atingir um clímax feliz. Observe, analisando a próxima lei, a da *cooperação*, a estreita ligação entre os princípios delineados e aqueles associados à lei da concentração.

Onde quer que um grupo de pessoas se alie de forma organizada em espírito de cooperação para a execução de algum objetivo definido, será observado que empregam a lei da concentração e, a menos que o façam, a aliança não terá poder real.

Os pingos de chuva que caem, cada um por si, em desordem, representam uma enorme forma de energia, mas essa energia não pode ser chamada de poder real até que esses pingos sejam coletados em um rio ou represa e derramados sobre uma roda de forma organizada para gerar energia ou até que sejam confinados em uma caldeira e convertidos em vapor.

Em todos os lugares, independentemente da forma em que se encontre, o poder é desenvolvido por meio da concentração de energia. O que quer que você esteja fazendo como sua ocupação diária, faça com toda a sua atenção, com todo o seu coração e alma focados nessa coisa específica.

LIÇÃO 13

COOPERAÇÃO

Estamos claramente vivendo em uma era de *cooperação*. As realizações de destaque nos negócios, na indústria, nas finanças, no transporte e na política são todas baseadas no princípio do esforço cooperativo.

Você dificilmente lê um jornal diário durante uma semana sem ver a notícia de uma consolidação ou fusão de interesses comerciais ou industriais. Essas fusões e alianças amigáveis de negócios são baseadas na cooperação, pois a cooperação reúne em espírito de harmonia de propósitos todas as energias, sejam humanas ou mecânicas, para que funcionem como uma, sem atrito.

O marechal Foch, pelo menos tecnicamente, venceu a Primeira Guerra Mundial. O ponto de virada ocorreu, como todos lembrarão, quando todos os exércitos aliados foram colocados sob a direção de Foch, garantindo assim um esforço perfeitamente coordenado de cooperação que não seria possível sob muitos líderes, cada um exercendo autoridade igual ou similar sobre os vários exércitos aliados.

Ter grande sucesso em qualquer empreendimento significa ter a cooperação amigável dos outros. A equipe de futebol vencedora é aquela melhor treinada na arte da cooperação. O espírito do trabalho em equipe deve prevalecer nos negócios ou o negócio não irá muito longe.

Você vai observar que algumas das leis anteriores devem ser praticadas como um hábito antes que se possa obter a cooperação perfeita dos outros. Por exemplo, os outros não cooperarão com você a menos que você domine e aplique a lei da personalidade agradável. Você também notará que entusiasmo, autocontrole e fazer mais do que *é* pago para fazer devem ser praticados antes que você possa esperar obter a plena cooperação de outros.

Essas leis se sobrepõem umas às outras, e todas devem ser fundidas na lei da cooperação, o que significa que, para obter a cooperação de outros, deve-se cultivar o hábito de praticar as leis citadas. Ninguém está disposto a cooperar com uma pessoa que tem uma personalidade agressiva. Ninguém está disposto a cooperar uma pessoa que não é entusiasta ou que não tem autocontrole.

O poder vem do esforço organizado e cooperativo. Uma dúzia de soldados bem treinados, trabalhando em esforço perfeitamente coordenado, pode dominar uma multidão de milhares de pessoas que carecem de liderança e organização.

Educação, em todas as suas formas, não é nada além de conhecimento organizado ou, como se poderia afirmar, fatos cooperativos.

Andrew Carnegie tinha pouca escolaridade, mas era um homem bem educado porque criou o hábito de organizar seu conhecimento e moldá-lo em um objetivo principal definido. Também fez uso da lei da cooperação, o que fez dele um multimilionário. Além disso, Carnegie tornou milionários dezenas de outros homens que estavam aliados a ele na aplicação da lei da cooperação que ele tão bem compreendia.

Foi Andrew Carnegie quem deu ao autor da Lei do Sucesso a ideia que embasou toda essa filosofia. Vale a pena descrever o evento, pois envolve uma lei recém-descoberta que é a base real de toda a cooperação eficaz.

O autor foi entrevistar Carnegie com o propósito de escrever uma história sobre sua carreira industrial. A primeira pergunta foi: "Senhor Carnegie, a que você atribui seu grande sucesso?".

"Essa é uma grande pergunta", disse Carnegie, "e, antes que eu responda, gostaria que você definisse a palavra sucesso. O que você chama de sucesso?" Antes que o autor tivesse tempo de responder, Carnegie antecipou a resposta, dizendo: "Acho que você quer dizer o meu dinheiro, não é?". O autor disse: "Sim, isso parece ser o significado de sucesso".

"Bem, se deseja simplesmente saber como consegui meu dinheiro, se é isso que *você* chama de sucesso, posso facilmente responder a sua pergunta. Para começar, deixe-me dizer que temos aqui nessa indústria do aço um MasterMind. Esse MasterMind não é a mente de qualquer pessoa, mas a soma total da capacidade, do conhecimento e da experiência de quase vinte homens cujas mentes foram perfeitamente coordenadas para que funcionem como uma, em espírito de cooperação harmoniosa. Esses homens administram os vários departamentos do negócio. Alguns estão associados a mim há muitos anos, enquanto outros chegaram há pouco tempo. Você pode ficar surpreso em saber", continuou Carnegie, "que tive que adaptar e experimentar muitas vezes para encontrar homens cujas personalidades fossem tais que pudessem subordinar os próprios interesses em benefício do negócio. Uma das posições mais importantes da nossa equipe foi ocupada por mais de uma dúzia de homens antes que finalmente fosse encontrado aquele que pudesse fazer o trabalho exigido pelo cargo e ao mesmo tempo cooperasse em espírito de harmonia com os outros membros da nossa equipe. Meu único grande problema tem sido, e sempre continuará a ser, a dificuldade de garantir os serviços de homens que irão cooperar, porque sem cooperação o MasterMind do qual estou falando não poderia existir".

Com essas palavras, ou seu equivalente, já que estou citando de memória, o maior de todos os magnatas da indústria do aço revelou o verdadeiro segredo de suas estupendas realizações. Sua declaração levou o autor a uma linha de pesquisa que abrange um período de mais de vinte anos, que resultou na descoberta de que o mesmo princípio que Carnegie descreveu é também o segredo do sucesso da maioria dos outros homens bem-sucedidos que são líderes das nossas grandes indústrias, instituições financeiras, ferroviárias, bancos, lojas de departamento, etc.

É um fato, embora o mundo científico possa não ter ainda endossado, que sempre que duas ou mais mentes estão aliadas ou associadas em qualquer empreendimento, em espírito de perfeita harmonia e esforço cooperativo, surge dessa aliança um poder invisível que dá maior energia aos esforços dos associados. Você pode testar isso por si observando a reação de sua mente quando está na presença de pessoas amigáveis e comparar com o que acontece quando está na presença daqueles de quem não gosta. A associação amigável inspira uma misteriosa energia que não é experimentada de outra forma, e essa grande verdade é a pedra fundamental da lei da cooperação.

Um exército forçado a lutar porque os soldados têm medo de ser abatidos pelos próprios líderes pode ser um exército muito eficiente, mas nunca será páreo para o exército que entra em ação por vontade própria, com cada um dos homens determinado a vencer porque acredita que seu lado deve vencer. No início da Primeira Guerra Mundial os alemães varreram tudo diante deles. Na época, os soldados alemães entravam em campo cantando. Eles haviam aceitado totalmente a ideia da *kultur*. Seus líderes os fizeram pensar que estavam destinados a vencer porque deveriam vencer. Entretanto, no decorrer da guerra esses mesmos soldados "se ligaram" um pouco, para usar uma gíria. Começaram a se dar conta de que matar milhões de pessoas era algo muito sério. A seguir, lentamente começaram a cogitar que talvez o *kaiser* não fosse um agente enviado por Deus e que pudessem estar lutando uma guerra injusta.

Desse ponto em diante a maré começou a virar. Eles já não cantavam a caminho da batalha. Não sentiam-se mais orgulhosos em morrer pela *kultur*. E então o fim ficou próximo.

É assim em todos os aspectos da vida, em cada empreendimento humano. O homem que consegue subordinar a própria personalidade, subjugar os próprios interesses e coordenar todos os seus esforços físicos e mentais com os de outros homens por uma causa comum, acreditando que o que ele está fazendo está certo e deve ter êxito, já percorreu quase toda a distância em direção ao sucesso.

☙

Há alguns anos, o presidente de uma conhecida agência imobiliária enviou a seguinte carta para o autor:

> Caro Sr. Hill
>
> Nossa empresa emitirá um cheque no valor de US$ 10 mil se você nos ensinar como obter a confiança do público de forma tão eficaz quanto você consegue em seu trabalho.
>
> Muito cordialmente,

A seguinte resposta foi enviada:

> Caro Sr. J.:
>
> Talvez não possa agradecer por seu elogio e, embora pudesse utilizar seu cheque de US$ 10 mil, estou perfeitamente disposto a dar gratuitamente as informações de que disponho sobre o assunto. Se tenho uma habilidade incomum em obter a cooperação de outras pessoas, é pelas seguintes razões:
>
> 1. Entrego mais serviço do que peço que paguem.

2. Não me envolvo intencionalmente em nenhuma transação que não beneficie a todos por ela afetados.
3. Não faço declarações que não acredito serem verdade.
4. Tenho um desejo sincero em meu coração de prestar serviço útil para o maior número de pessoas possível.
5. Gosto de pessoas mais do que gosto de dinheiro.
6. Estou fazendo o meu melhor para viver, bem como para ensinar minha filosofia do sucesso.
7. Não aceito favores de ninguém sem retribuir com favores.
8. Não peço nada para ninguém sem ter o direito de fazê-lo.
9. Não entro em discussões sobre assuntos triviais.
10. Espalho o sol do otimismo e do bom humor sempre e onde quer que possa.
11. Nunca bajulo as pessoas com o objetivo de ganhar sua confiança.
12. Vendo conselhos para outras pessoas a um preço modesto, mas nunca ofereço aconselhamento gratuito.
13. Enquanto ensinava outras pessoas a alcançar o sucesso, demonstrei que posso fazer minha filosofia funcionar para mim mesmo também, assim praticando o que prego.
14. Estou tão engajado no trabalho em que estou envolvido que meu entusiasmo se torna "contagioso", e outras pessoas são influenciadas por ele.

Muito cordialmente,
Napoleon Hill

Nesses quatorze pontos podem ser encontrados os elementos que formam a base de todas as relações de confiança. O esforço cooperativo gera poder para aqueles que podem ganhar e manter permanentemente a confiança de um grande número de pessoas. Este autor não conhece método capaz de induzir os outros a cooperarem, exceto o que se baseia nos quatorze pontos aqui descritos.

LIÇÃO 14

BENEFICIAR-SE DO FRACASSO

Um filósofo muito rico chamado Creso foi conselheiro oficial do rei Ciro. Na qualidade de filósofo da corte, Creso disse algumas coisas muito sábias. Entre elas, o seguinte: "Lembre-se, ó rei, e leve como lição que existe uma roda na qual os assuntos dos homens giram, e seu mecanismo é tal que impede qualquer homem de ser sempre afortunado".

É verdade. Existe uma espécie de destino invisível, ou roda, girando na vida de cada um de nós; às vezes nos traz boa sorte e outras vezes nos traz má sorte, não importando o que nós, seres humanos individuais, façamos. No entanto, essa roda obedece à lei das médias, protegendo-nos assim da má sorte contínua. Se a má sorte vem hoje, há esperança de que o oposto venha amanhã, no próximo giro da roda, ou no seguinte, etc.

O *fracasso* é uma das partes mais benéficas da experiência de um ser humano, pois há muitas lições necessárias que devem ser aprendidas antes que uma pessoa comece a prosperar. Essas lições não poderiam ser ensinadas senão pelo fracasso.

O fracasso é sempre uma bênção disfarçada, pois nos ensina uma lição útil que não aprenderíamos sem ele. No entanto, milhões de pessoas cometem o erro de aceitar o fracasso como final, quando, como na maioria dos outros eventos da vida, é apenas transitório e por isso não deve ser aceito como final.

As pessoas de sucesso devem aprender a distinguir entre fracasso e derrota temporária. Toda pessoa experimenta, em um momento ou outro, alguma forma de derrota temporária, e dessas experiências vêm algumas das maiores e mais benéficas lições.

Na verdade, a maioria de nós somos constituídos de tal forma que, se nunca experimentássemos uma derrota temporária (ou o que alguns ignorantemente chamam de fracasso), em breve nos tornaríamos tão egoístas e independentes que nos imaginaríamos mais importante do que Deus. Existem algumas dessas pessoas nesse mundo, e dizem que elas referem-se ao divino como "eu e Deus", com forte ênfase no "eu".

Dores de cabeça são benéficas, apesar de muito desagradáveis, pois representam a linguagem da natureza pedindo em voz alta o uso inteligente do corpo humano, em especial do estômago e do sistema circulatório, a partir dos quais a maioria de nós desenvolve as doenças físicas mais comuns. É o mesmo em relação à derrota temporária ou ao fracasso – são instrumentos com os quais a natureza sinaliza que estamos indo na direção errada, e, se formos razoavelmente inteligentes, devemos ouvir esses sinais, apontar para um curso diferente e finalmente chegar ao nosso objetivo principal definido.

O autor dessa filosofia dedicou mais de um quarto de século de pesquisa ao objetivo de descobrir quais as características possuídas e utilizadas por homens e mulheres de sucesso no campo dos negócios, da indústria, da política, da diplomacia, da religião, das finanças, do transporte, da literatura, da ciência, etc. Essa pesquisa envolveu a leitura de mais de mil livros de caráter científico, empresarial e biográfico, ou uma média de mais de um livro por semana.

Uma das descobertas mais surpreendentes feitas por essa enorme quantidade de pesquisa foi o fato de que todas as pessoas de sucesso notável, independentemente da área de atuação em que estavam envolvidas, encontraram oposição, adversidade, derrotas temporárias e, em alguns casos, fracasso permanente real (no que lhes dizia respeito como indivíduos). Não foi descoberta uma única pessoa bem-sucedida que tenha chegado ao sucesso sem a experiência do que em muitos casos pareciam obstáculos insuperáveis que tiveram de ser vencidos.

Descobriu-se também que essas pessoas bem-sucedidas alcançaram o sucesso na exata proporção em que enfrentaram os obstáculos de frente e não se entregaram à derrota. Em outras palavras, o sucesso sempre é medido pela extensão em que o indivíduo encara e aborda de frente os obstáculos que surgem no curso da sua trajetória em busca do objetivo principal definido.

Vamos relembrar alguns dos grandes sucessos do mundo que encontraram a derrota temporária e alguns que foram fracassos permanentes como indivíduos.

Cristóvão Colombo queria encontrar um caminho mais curto para as Índias, mas descobriu a América em vez disso. Morreu como um prisioneiro acorrentado, vítima da ignorância do seu tempo.

Thomas A. Edison encontrou derrota após derrota, em mais de dez mil tentativas malsucedidas, antes de fazer com que uma peça giratória de cera registrasse e reproduzisse o som da voz humana. Ele deparou com derrota semelhante antes de criar a lâmpada elétrica incandescente.

Alexander Graham Bell enfrentou anos de derrota antes de aperfeiçoar o telefone de longa distância.

O primeiro projeto das lojas de cinco e dez centavos de Woolworth não foi um sucesso, e ele teve que vencer os mais difíceis obstáculos antes de enfim achar o rumo e ir longe na estrada do sucesso.

O barco a vapor de Fulton era um fiasco, e as pessoas debochavam tanto que ele tinha que se esgueirar à noite para realizar seus experimentos em segredo.

IDEIAS SÃO O PRODUTO MAIS VALIOSO DA MENTE HUMANA. SE VOCÊ CONSEGUE CRIAR IDEIAS ÚTEIS E COLOCÁ-LAS EM PRÁTICA, PODE OBTER O QUE QUISER COMO PAGAMENTO.

Os irmãos Wright destruíram muitos aviões e sofreram muitas derrotas antes de criar uma máquina voadora mais pesada que o ar que fosse viável.

Henry Ford quase morreu de fome – figurativa, se não literalmente – antes de completar com sucesso seu primeiro modelo de automóvel. Seus problemas não acabaram ali; ele passou anos aperfeiçoando o famoso Modelo T, que fez sua fama e fortuna.

Não pense nem por um momento que esses homens voaram para o sucesso nas asas da fartura, sem oposição da mais dilacerante natureza. Somos por demais propensos a olhar para os homens na hora de seu triunfo sem levar em consideração os reveses, derrotas e adversidades que tiveram de transpor antes de o sucesso chegar.

Napoleão Bonaparte enfrentou derrota após derrota antes de se tornar o grande poderoso que foi; mesmo assim, deparou com o *fracasso permanente* no fim. Está registrado em suas biografias que ele cogitou cometer suicídio em várias ocasiões, tão grandes eram as suas decepções.

O Canal do Panamá não foi construído sem derrota. Muitas vezes as bordas desmoronaram, e os engenheiros tiveram que voltar e refazer o trabalho. Parecia, em muitas ocasiões, pelo menos para quem olhava de fora, que algumas das ribanceiras nunca ficariam de pé. Mas a perseverança, além do *objetivo principal definido*, finalmente entregou ao mundo o mais maravilhoso corpo artificial de água do mundo, do ponto de vista da utilidade.

Vem à mente do autor aquele que ele acredita ser o melhor poema já escrito sobre o fracasso. A obra expõe os benefícios da derrota de forma tão completa e clara que segue reproduzida aqui:

QUANDO A NATUREZA QUER UM HOMEM

Angela Morgan

Quando a natureza quer treinar um homem,
E entusiasmar um homem,
E adestrar um homem.
Quando a natureza quer moldar um homem
Para desempenhar a mais nobre função;
Quando ela anseia de todo coração
Criar tão grande e ousado homem
Que todo mundo há de louvar –
Assista ao seu método, observe seus meios!
Como ela impiedosamente aperfeiçoa
A quem regiamente elege;
Como ataca e fere
E com poderosos golpes o converte
Em moldes de barro que só a natureza entende,
Enquanto o coração dele chora e suplicam suas mãos!
Como ela se curva, mas jamais se quebra,
Quando do bem dele se encarrega.
Como ela usa a quem escolhe
E o funde com todo propósito,
Por todas as artes o induz
A exibir o esplendor.
A natureza sabe o que faz.

Quando a natureza quer tomar um homem,
E sacudir um homem,
E acordar um homem;

Quando a natureza quer que um homem
Faça a vontade do futuro;
Quando ela tenta com toda a habilidade
E anseia com toda a sua alma
Criá-lo vasto e completo,
Com que astúcia o prepara!
Como o incita e nunca o poupa,
Como o atiça e o aborrece,
E na pobreza ele cresce...
Como ela muitas vezes decepciona
Quem sagradamente unge,
Com que sabedoria o esconde,
Sem se importar com o que sucede,
Apesar do gênio dele soluçar em desprezo,
E seu orgulho não poder esquecer!
O faz lutar ainda mais.
Faz dele solitário,
De modo que apenas
Mensagens de Deus possam alcançá-lo,
De modo que ela possa com certeza lhe ensinar
O que a Hierarquia planejou.
Embora ele não possa entender
Dá-lhe paixões para reger.
Agora sem remorso o esporeia,
Com ardor tremendo o agita
Quando o prefere cruelmente!

Quando a natureza quer nomear um homem
E afamar um homem

E domar um homem;
Quando a natureza quer envergonhar um homem
Para que ele faça o seu melhor;
Quando ela aplica o maior teste
Que o julgamento pode trazer –
Quando ela quer um deus ou rei!
Como ela o controla e restringe,
Assim, seu corpo mal o contém
Enquanto ela o inflama
E inspira!
Mantém-no ansioso,
Sempre ardente por uma meta tantalizante,
Seduz e dilacera a sua alma.
Define um desafio para o seu espírito,
Eleva-o quando ele se aproxima;
Faz uma selva para ele transpor;
Faz um deserto que ele teme
E subjuga se puder.
Assim a natureza faz um homem.
Então, para testar a ira do espírito dele,
Arremessa uma montanha em seu caminho,
Coloca uma escolha amarga diante dele
E implacavelmente ergue-se sobre ele.
“Suba ou pereça!”, ela diz...
Assista ao seu propósito, observe seus caminhos!

O plano da natureza é maravilhosamente bondoso,
Pudéssemos nós entender sua mente.
Tolos são os que a chamam de cega.

Quando os pés dele estão rasgados e sangrando,
Todavia seu espírito eleva-se alheio a isso,
Todos os seus poderes superiores acelerando-se,
Abrindo novos e ótimos caminhos;
Quando a força que é divina
Pula para desafiar cada fracasso e seu ardor ainda é doce,
E o amor e a esperança ardem na presença da derrota...
Eis a crise! Eis o grito
Que deve invocar um líder.
Quando as pessoas precisam de salvação
Ele vem para liderar a nação.
Então a natureza revela seu plano
Quando o mundo descobre – um homem!

Não tenha medo da derrota temporária, mas certifique-se de aprender alguma coisa com cada uma delas. Aquilo que chamamos de "experiência" consiste, em grande parte, do que aprendemos com os erros – os nossos e aqueles cometidos por outros –, mas tome cuidado para não ignorar o conhecimento que pode ser adquirido a partir deles.

LIÇÃO 15

TOLERÂNCIA

A intolerância já causou mais sofrimento do que qualquer outra das muitas formas de ignorância do homem. Praticamente todas as guerras surgem da intolerância. Desentendimentos entre os chamados "capital" e "mão de obra" geralmente são frutos da intolerância.

É impossível para qualquer homem observar a lei do pensamento preciso sem antes ter adquirido o hábito da tolerância, porque a intolerância faz com que um homem feche o livro do conhecimento e escreva "Pronto, sei tudo" na capa. A forma mais prejudicial de intolerância surge das diferenças de opinião religiosa e racial. A civilização como a conhecemos hoje carrega as feridas profundas da intolerância bruta desde o início dos tempos, principalmente as de natureza religiosa.

Este é o país mais democrático do mundo. Somos o povo mais cosmopolita do planeta. Somos compostos por pessoas de todas as nacionalidades e crenças religiosas. Vivemos lado a lado com vizinhos cuja religião difere da nossa. Se somos bons ou maus vizinhos depende muito do quanto somos tolerantes uns com os outros.

A intolerância é o resultado da ignorância ou, dito de outra forma, da falta de conhecimento. Homens bem informados raramente são intolerantes, porque eles sabem que ninguém sabe o suficiente para julgar os outros por seus padrões.

Formamos nossas ideias sobre religião a partir da hereditariedade social, do nosso ambiente e dos primeiros ensinamentos religiosos. Nossos professores podem não estar sempre certos, portanto, se mantivéssemos esse pensamento em mente, não permitiríamos que tais ensinamentos nos influenciassem a acreditar que somos detentores da verdade e que pessoas cujos ensinamentos sobre o tema foram diferentes estão todas erradas.

Há muitas razões pelas quais se deve ser tolerante, sendo a principal delas o fato de que a tolerância permite ao raciocínio frio guiá-lo na direção dos fatos, e estes, por sua vez, levam a um pensamento preciso. O homem cuja mente foi fechada pela intolerância, não importa de que tipo ou natureza, jamais pode tornar-se um pensador preciso, o que é motivo suficiente para nos levar a dominar a intolerância.

Pode não ser o seu dever ser tolerante com outras pessoas cujas ideias, opiniões religiosas, políticas e tendências raciais são diferentes das suas, mas é seu privilégio. Você não tem que pedir permissão de ninguém para ser tolerante, é algo que você controla em sua mente; portanto, a responsabilidade que vem com a escolha também é sua.

A intolerância está intimamente relacionada aos seis medos básicos descritos na lei da autoconfiança, e pode-se afirmar como um fato positivo que a intolerância é sempre resultado de medo ou ignorância. Não há exceções a esta regra. No momento em que outra pessoa (desde que ela não seja intolerante) descobre que você é amaldiçoado pela intolerância, pode fácil e rapidamente marcá-lo como vítima do medo e da superstição ou, o que é pior, da ignorância!

A intolerância fecha as portas para a oportunidade de mil maneiras e apaga a luz da inteligência.

No momento em que abre a mente para os fatos e assume a atitude de que a última palavra raramente está dita em qualquer assunto – que sempre existe a chance de aprender mais verdades em todos os temas –, você começa a cultivar a lei da tolerância e, se praticar esse hábito por bastante tempo, em breve se tornará um pensador com capacidade para resolver os problemas que surgirem na luta por um lugar no campo de empreendimento escolhido.

LIÇÃO 16

REGRA DE OURO

Esta é, sob alguns aspectos, a mais importante das dezessete Leis do Sucesso. Apesar de todos os grandes filósofos de mais de cinco mil anos atrás terem descoberto e comentado a lei da Regra de Ouro, a grande maioria das pessoas nos dias de hoje a enxergam como uma espécie de texto bonito para os pregadores fazerem sermões. Na verdade, a filosofia da Regra de Ouro é baseada em uma lei poderosa que, quando compreendida e praticada com sinceridade, capacitará qualquer homem a conseguir a cooperação dos outros.

É uma verdade bem conhecida que a maioria dos homens segue a prática de devolver o bem ou o mal, ato por ato. Se você caluniar um homem, ele irá caluniá-lo em troca. Se você elogiar um homem, ele o elogiará em troca. Se você favorecer um homem nos negócios, ele irá favorecê-lo em troca.

Com certeza existem exceções, mas em geral essa regra funciona. Semelhante atrai semelhante. Isso está de acordo com uma grande lei natural e funciona em cada partícula de matéria e em todas as formas de energia do universo. Homens bem-sucedidos atraem homens bem-sucedidos. Fracassados atraem fracassados. O "vagabundo" profissional vai achar o caminho mais curto para uma pensão barata, onde pode se associar a outros "vagabundos", mesmo que tenha chegado em uma cidade estranha após escurecer.

A Lei da Regra de Ouro está intimamente relacionada à lei do hábito de fazer mais do que é pago para fazer. O próprio ato de prestar mais serviço do que você é pago para fazer coloca em operação essa lei de que "semelhante atrai semelhante", que é a mesma lei que fundamenta a filosofia da Regra de Ouro.

Não há como escapar do fato de que o homem que oferece mais serviço do que é pago para fornecer será avidamente procurado por aqueles que estarão dispostos a pagar por mais do que ele realmente faz. Juros compostos sobre juros compostos é a taxa da natureza quando paga a dívida contraída mediante a aplicação dessa lei.

Essa lei é muito fundamental, muito óbvia e muito simples. É um dos grandes mistérios da natureza humana que não seja entendida e praticada em termos mais gerais. Por trás de seu uso escondem-se possibilidades que atordoariam a imaginação da pessoa mais visionária. Com seu uso pode-se aprender o verdadeiro segredo – todo o segredo que há – sobre a arte de conseguir que os outros façam o que queremos que façam.

Se você quer o favor de alguém, empenhe-se em procurar a pessoa de quem deseja o favor e, de modo apropriado, preste a ela um favor equivalente ao que deseja. Se ela não responder da primeira vez, dobre a dose e preste outro favor e outro e outro e assim por diante, até que ela – quanto mais não seja por vergonha – enfim preste-lhe um favor.

Você faz os outros cooperarem com você cooperando com eles primeiro. Vale a pena ler a frase anterior uma centena de vezes, pois contém a essência de uma das mais poderosas leis disponíveis para o homem que tem a intenção de alcançar grande sucesso.

Às vezes pode acontecer, e acontecerá, de o indivíduo específico a quem você presta serviço útil nunca responder e prestar serviço semelhante, mas mantenha essa importante verdade em mente – mesmo quando uma pessoa não retribui, alguém estará observando a transação e, a partir do desejo de ver a justiça feita, ou talvez com uma motivação mais egoísta em mente, vai prestar o serviço a que você tem direito.

"Aquilo que um homem semear, ele colherá." Isso é mais do que mera pregação, é uma grande verdade prática que pode ser o alicerce de toda realização bem-sucedida. Por vias retas ou sinuosas, cada pensamento que você emitir, cada ação que executar reunirá um grupo de pensamentos e ações da mesma natureza e voltará para você no devido tempo. Não há como escapar dessa verdade. Ela é tão eterna quanto o universo, tão certa como a lei da gravidade. Ignorá-la é rotular-se como ignorante ou indiferente, o que destruirá suas chances de sucesso.

A filosofia da Regra de Ouro é a verdadeira base sobre a qual as crianças deveriam ser criadas. Também é a base sólida sobre a qual as "crianças crescidas" deveriam ser conduzidas. Um homem pode construir uma fortuna sem observar a Regra de Ouro, à força ou tirando vantagem de circunstâncias injustas, e muitos fazem isso. Mas tais fortunas não podem trazer felicidade, pois ganhos ilícitos estão fadados a destruir a paz mental de todos que o obtêm. A riqueza criada ou adquirida pela Regra de Ouro não traz consigo um bando de arrependimentos, nem perturba a consciência ou destrói a paz mental.

Feliz é o homem que faz da Regra de Ouro o seu lema profissional ou empresarial, literal e figurativamente, observando o espírito, bem como a letra da lei.

LIÇÃO 17

HÁBITO DA SAÚDE

Chegamos agora ao último dos dezessete fatores de sucesso. Nos capítulos anteriores aprendemos que o sucesso provém do poder e que poder é conhecimento organizado expresso em uma ação definida. Ninguém pode ficar intensamente ativo por muito tempo sem uma boa saúde. A mente não funcionará corretamente a menos que tenha um corpo sadio no qual funcionar.

Praticamente todos os outros dezesseis fatores que entram na construção do sucesso dependem de um corpo saudável. A boa saúde depende, em grande parte:

1. Da combinação adequada de alimentos e ar;
2. Da eliminação adequada de resíduos fecais;
3. De exercício apropriado;
4. De pensamento correto.

Não é o propósito deste capítulo apresentar um tratado sobre como se manter saudável, já que essa tarefa pertence aos especialistas em terapias físicas e mentais. No entanto, não faz mal chamar a atenção para o fato de que a saúde ruim costuma ser causada pela má eliminação de resíduos.

Pessoas que vivem nas cidades e consomem alimentos preparados artificialmente vão verificar ser necessário ajudar a natureza constantemente nos processos de eliminação lavando o trato intestinal com água a intervalos regulares de não mais de uma semana. Praticamente todas as dores de cabeça, lentidão, falta de ânimo e sintomas semelhantes são devido à autointoxicação ou envenenamento intestinal pela eliminação inadequada.

Energia sexual – construtora da saúde

Como fechamento desse capítulo, o autor optou por inserir uma breve declaração sobre o valor terapêutico da energia sexual. Os fatos que justificam a referência ao sexo como construtor da saúde serão expostos da seguinte maneira:

É fato bem sabido que o pensamento é a energia mais poderosa disponível ao homem. É igualmente bem sabido que os pensamentos negativos de preocupação, inveja, ódio e medo irão destruir o processo digestivo e trazer doenças, pois o pensamento negativo inibe o fluxo de determinadas substâncias glandulares essenciais à digestão. Os pensamentos negativos provocam "curtos-circuitos" nas linhas dos nervos que transportam a energia nervosa (ou força de vida) a partir da estação de distribuição central, o cérebro, a todas as partes do corpo, onde essa energia executa sua tarefa natural de nutrição e de remoção de células gastas e matéria residual.

A energia sexual é uma força positiva altamente vitalizante quando em estado de agitação durante o contato sexual e, por ser poderosa, varre todo o sistema nervoso e desfaz qualquer "curto-circuito" que possa existir em qualquer uma das linhas nervosas, assegurando assim um fluxo completo de energia para todas as partes do corpo. A emoção sexual é a mais poderosa de todas as emoções humanas e, quando está ativa, vitaliza cada célula em cada órgão do corpo, fazendo com que tudo funcione de maneira adequada. A abstinência sexual total não está nos planos da natureza, e aqueles que não compreendem essa verdade costumam pagar por sua ignorância sacando do fundo provido pela natureza para a manutenção da boa saúde.

O pensamento controla todos os movimentos voluntários do corpo. Estamos de acordo sobre essa afirmação? Muito bem, se os pensamentos controlam todos os movimentos voluntários, poderiam também controlar, ou pelo menos influenciar substancialmente todos os movimentos involuntários do corpo?

Pensamentos de natureza negativa, tais como medo, preocupação e ansiedade não só inibem o fluxo dos sucos digestivos, como também "fazem nós" nas linhas nervosas que transportam energia para os vários órgãos do corpo. Pensamentos de natureza positiva desatam os nós nas linhas nervosas e permitem que a energia flua. A emoção sexual é a forma mais poderosa de pensamento positivo. A energia sexual é a "medicina" da natureza; a prova disso é óbvia caso se observe o estado mental e a condição perfeitamente relaxada do corpo após o contato sexual.

Breve como é, a afirmação anterior deve ser o ponto de partida para uma análise inteligente do assunto pelo leitor deste livro. Vamos manter a mente aberta sobre o sexo. Ninguém tem a última palavra sobre o assunto, a maioria de nós sequer conhece a primeira palavra. Portanto, não vamos julgar um tema sobre o qual sabemos tão pouco até termos pelo menos algum pensamento inteligente a respeito. Não obstante o que a maioria de nós sabe, tanto a pobreza quanto os problemas de saúde podem ser dominados por meio de uma compreensão completa da energia sexual, pois ela é o mais poderoso estimulante mental conhecido.

AS TRINTA CAUSAS MAIS COMUNS DO FRACASSO

Nas páginas anteriores você teve uma breve descrição dos dezessete fatores com os quais o sucesso pode ser obtido. Agora vamos voltar nossa atenção para alguns dos fatores que causam o fracasso. Confira a lista e talvez você encontre a causa de qualquer fracasso ou derrota temporária que possa ter experimentado. A lista é baseada em uma análise precisa de mais de vinte mil fracassos e abrange homens e mulheres de todos os campos de atuação.

1. Base hereditária desfavorável (essa causa está no topo da lista; deficiências congênitas são algo contra o que há pouco a fazer, e o indivíduo infelizmente não tem responsabilidade sobre elas);
2. Falta de um propósito ou objetivo principal definido pelo qual se esforçar;
3. Falta de ambição;
4. Educação insuficiente;
5. Falta de autodisciplina e tato, em geral manifestada como todo tipo de excesso, em especial sexual e alimentar;
6. Problemas de saúde, em geral devido a causas evitáveis;
7. Ambiente desfavorável durante a infância, quando o caráter é formado, resultando em hábitos viciosos de corpo e mente;

8. Procrastinação;
9. Falta de persistência e de coragem para culpar a si mesmo pelos próprios fracassos;
10. Personalidade negativa;
11. Falta de impulso sexual bem definido;
12. Desejo incontrolável ter algo a troco de nada, normalmente manifestado em hábitos de aposta;
13. Falta de decisão;
14. Um ou mais dos seis medos básicos descritos em outra parte deste livro;
15. Má seleção do par no casamento;
16. Prudência excessiva, destruindo a iniciativa e a autoconfiança;
17. Má seleção de associados nos negócios;
18. Superstição e preconceito, em geral ligados a falta de conhecimento das leis naturais;
19. Escolha errada da ocupação;
20. Dissipação da energia por desconhecimento da lei da concentração, resultando no que costuma ser chamado de "pau para toda obra";
21. Falta de parcimônia;
22. Falta de entusiasmo;
23. Intolerância;
24. Intemperança no comer, no beber e nas atividades sexuais;
25. Incapacidade de cooperar com os outros em espírito de harmonia;
26. Posse de poder que não foi adquirido por esforço próprio, por lentos processos evolutivos de experiência (como no caso de

alguém que herda riqueza ou é colocado em uma posição de poder a qual não tem direito por mérito);

27. Desonestidade;
28. Egotismo e vaidade;
29. Adivinhar em vez de pensar;
30. Falta de capital.

Alguns podem se perguntar por que "falta de capital" foi colocada no final da lista. A resposta é que qualquer um que se qualifique com um grau razoavelmente alto nas outras 29 causas sempre consegue obter o capital necessário para qualquer finalidade.

A lista acima não inclui todas as causas do fracasso, mas representa as mais comuns. Alguns podem dizer que "falta de sorte" deveria estar na lista, mas a resposta a essa observação é que a sorte, ou a lei do acaso, pode ser dominada por todos os que entenderem como aplicar os dezessete fatores para o sucesso. No entanto, para ser justo com aqueles que podem nunca ter tido a oportunidade de dominar os dezessete fatores para o sucesso, deve-se admitir que a má sorte, ou uma volta desfavorável na "roda da fortuna", às vezes é a causa do fracasso.

Aqueles que estão inclinados a atribuir todas os seus fracassos às "circunstâncias" ou à má sorte, devem se lembrar da injunção contundente proferida por Napoleão, que disse: "Para o inferno com as circunstâncias! Eu crio circunstâncias". A maioria das "circunstâncias" e resultados desfavoráveis da sorte somos nós quem criamos. Não nos esqueçamos disso.

Aqui estão uma declaração de fato e uma confissão que valem a pena lembrar: a filosofia da Lei do Sucesso, que agora presta serviço útil a homens e mulheres de todo o mundo, é em grande parte o resultado de quase vinte anos do assim chamado fracasso por parte do autor. No curso mais extenso sobre a filosofia da Lei do Sucesso,* na lição sobre fracasso,

* Lançado no Brasil como *O manuscrito original – As leis do triunfo e do sucesso de Napoleon Hill.*

o aluno observará que o autor enfrentou fracassos, adversidades e reveses tantas vezes que poderia estar justificado caso bradasse: "A sorte está contra mim". Sete grandes fracassos e mais dezenas de fracassos menores que o autor consegue lembrar, estabeleceram as bases para uma filosofia que agora traz sucesso para dezenas de milhares de pessoas, incluindo o próprio autor. A "má sorte" foi controlada e colocada para trabalhar, e o mundo inteiro agora paga substancial tributo monetário ao homem que trouxe à tona o alegre pensamento de que mesmo a sorte pode ser mudada e os fracassos podem ser aproveitados.

"Há uma roda na qual os assuntos dos homens giram, e seu mecanismo é tal que impede qualquer homem de ser sempre afortunado." É verdade. Tal roda existe e gira continuamente. Se traz infortúnio hoje, pode-se fazer com que traga boa sorte amanhã. Se isso não fosse verdade, a filosofia da Lei do Sucesso seria uma farsa e uma fraude, oferecendo nada além de falsa esperança.

Foi dito ao autor certa vez que ele sempre seria um fracasso, pois havia nascido sob uma estrela desfavorável. Deve ter acontecido alguma coisa que funcionou como um antídoto à má influência dessa estrela – e algo aconteceu. Esse "algo" é o poder de dominar os obstáculos, dominando primeiro a si mesmo, surgido da compreensão e aplicação da filosofia da Lei do Sucesso. Se os dezessete fatores para o sucesso podem compensar a má influência de uma estrela para este autor, podem fazer o mesmo por você ou por qualquer outra pessoa.

Responsabilizar as estrelas pelos nossos infortúnios é apenas uma outra maneira de reconhecer nossa ignorância ou nossa preguiça. O único lugar em que as estrelas podem trazer má sorte é na sua mente. Você tem a posse dessa mente, e ela tem o poder de dominar todas as más influências que estejam entre você e o sucesso, incluindo as das estrelas.

Se você realmente deseja ver a causa da sua má sorte e unfortúnios, não olhe para as estrelas, olhe-se no espelho! Você é o mestre do seu destino. Você é o capitão da sua alma. Você possui uma mente que só você pode controlar. E essa mente que apenas você pode controlar pode ser estimulada a entrar em contato direto com todo o poder de que você precisa para resolver qualquer problema ou obstáculo que possa confrontá-lo. A pessoa que culpa as estrelas por seus problemas desafia a existência da Inteligência Infinita, ou Deus, se preferir esse nome.

O MISTÉRIO DO PODER DO PENSAMENTO

Em frente ao escritório do autor, na Broadway com a Rua 44, em Nova York, está o edifício Paramount, um prédio alto, grande e impressionante, que serve como lembrete diário do fabuloso poder do pensamento. Venha comigo até a janela do meu escritório e vamos analisar esse moderno arranha-céu. Diga-me, se puder, com quais materiais o edifício foi construído. Imediatamente você vai dizer: "Ora, foi construído com tijolos, vigas de aço, placas de vidro e madeira", e estará parcialmente certo, mas não terá contado a história toda.

Os tijolos, o aço e os outros materiais que entraram na parte física do prédio foram necessários, mas antes que qualquer um deles fosse assentado na obra o edifício inteiro foi construído com outro tipo de material na mente de Adolph Zukor, com o elemento intangível conhecido como pensamento.

Tudo o que você tem ou terá, bom ou mau, é atraído por você pela natureza dos seus pensamentos. Pensamentos positivos atraem objetos positivos desejáveis, pensamentos negativos atraem pobreza, miséria e um bando de outros tipos de objetos indesejáveis. Seu cérebro é o ímã onde tudo o que você possui fica grudado, e não se engane sobre isso: seu cérebro não vai atrair sucesso enquanto você pensar em pobreza e fracasso.

Todo homem está onde está como resultado de seus pensamentos dominantes, tão certo como a noite segue o dia. O pensamento é a única coisa que você controla absolutamente, uma declaração que repetimos por causa da grande importância. Você não controla totalmente o dinheiro que possui ou o amor e a amizade que cultiva, você não teve controle sobre sua vinda a este mundo e terá muito pouco controle sobre o momento de sua partida, mas tem todo o controle sobre o estado de sua mente. Você pode tornar sua mente positiva ou pode permitir que se torne negativa como resultado de influências e sugestões externas. A Divina Providência concedeu-lhe controle supremo da própria mente e com esse controle veio também a responsabilidade de fazer o melhor uso dela.

Em sua mente você pode imaginar um grande edifício, semelhante ao que está em frente ao estúdio do autor, e depois transformar essa imagem mental em realidade, assim como Adolph Zukor fez, pois o material com que ele construiu o edifício Paramount está disponível para todos os seres humanos, além disso, é gratuito. Tudo o que você tem a fazer é apropriar-se dele e colocá-lo em uso. Esse material universal, como dissemos, é o poder do pensamento.

A diferença entre sucesso e fracasso é em larga medida uma questão de diferença entre pensamento positivo e negativo. Uma mente negativa não atrairá fortuna. Semelhante atrai semelhante. Nada atrai sucesso tão rapidamente quanto o sucesso. Pobreza gera mais pobreza. Torne-se um sucesso, e o mundo inteiro colocará tesouros a seus pés e fará alguma coisa para ajudá-lo a ter mais sucesso. Mostre sinais de pobreza, e o mundo inteiro tentará tirar o que você tiver de valor. Você pode pedir dinheiro emprestado ao banco quando é próspero e não precisa dele, mas tente arranjar um empréstimo quando é pobre ou quando uma grande emergência o atingir.

Você é o mestre do seu destino porque controla a única coisa que pode mudar e redirecionar o curso dos destinos humanos, o poder do pensamento. Deixe essa grande verdade impregnar sua consciência, e este livro terá marcado o ponto de virada mais importante da sua vida.

Como converter essa filosofia em dinheiro

O autor está envolvido na tarefa de ajudar outras pessoas a se encontrar. Seu trabalho consiste em duas formas de procedimento. Primeiro, o aluno é ensinado a coordenar e aplicar os dezessete fatores da filosofia da Lei do Sucesso na solução de qualquer problema. Em segundo, o estudante é analisado e se faz um gráfico de suas características boas e ruins. Em outras palavras, todo o equipamento mental do estudante é minuciosamente diagnosticado, e o resultado é registrado de forma clara em um gráfico que mostra a linha de trabalho que deve ser seguida e o melhor plano para a execução desse trabalho. Sempre que possível, o autor entrevista o estudante pessoalmente. Quando não é possível, o aluno é atendido por instrução de classe ou por correspondência, caso viva uma grande distância de Nova York.

A natureza das entrevistas pessoais

As entrevistas pessoais entre os estudantes da Lei do Sucesso e o autor têm a finalidade de auxiliar o aluno na aplicação da filosofia a fim de que seu objetivo principal definido possa ser selecionado e um plano de trabalho prático para a sua realização, adotado. A entrevista constitui uma aplicação muito eficiente do MasterMind, por meio do qual duas mentes são coordenadas com a finalidade de alcançar um determinado objetivo.

Essas entrevistas produzem fenômenos que muitas vezes assombram tanto o autor quanto os estudantes. Para ilustração, pouco tempo atrás uma senhora agendou uma entrevista com a finalidade de determinar para qual trabalho era mais apta. A senhorita M. C. era estudante da Lei do Sucesso há alguns meses, havia dominado o manual sobre o assunto e estava familiarizada com os fundamentos da filosofia. Quinze minutos após a sua chegada ao escritório do autor, ela havia "intensificado" as vibrações de sua mente, de modo que estava "sintonizada" de acordo com o princípio do MasterMind. A faculdade criadora da sua imaginação começou a trabalhar rapidamente, e como resultado as ideias descritas a seguir começaram a "lampejar" em sua mente.

O autor anotou tais ideias, que vieram tão rápido quanto ele conseguia escrever em taquigrafia. O fluxo de ideias não cessou, mas foi voluntariamente cortado porque o tempo da entrevista havia expirado e outro cliente estava aguardando. As ideias estão listadas a seguir, assim como ela as recebeu.

QUARENTA IDEIAS DE COMO GANHAR DINHEIRO

1. Reescrever a Lei do Sucesso de forma resumida, de modo que possa ser apresentada em um único volume a um custo muito baixo, para que possa chegar às mãos de centenas de milhares de estudantes que de outra maneira poderiam nunca ter o benefício de tal filosofia e que permita aos professores da filosofia em todo o mundo usar esse volume como um livro didático em aulas particulares e clubes do sucesso a serem organizados por eles. (Nota do autor: o livro que você tem em mãos é o resultado concreto dessa ideia.)
2. Uma rede de postos de gasolina automáticos nos quais o motorista possa abastecer sozinho, dia ou noite, inserindo moedas em uma máquina caça-níqueis.
3. Uma rede de bancas automáticas disponibilizando revistas, jornais e periódicos em máquinas caça-níqueis.
4. Uma rede de lojas de cinco e dez centavos automáticas, fornecendo mercadorias em máquinas caça-níqueis, economizando mão de obra e evitando perdas por furto nos balcões.
5. Um suporte elástico de aço flexível para manter a coluna e os ombros eretos, permitindo assim que a energia nervosa flua livremente para todas as partes do corpo.

6. Uma máquina vibratória a ser anexada aos assentos dos trabalhadores de escritórios e fábricas, que possa ser ligada a intervalos durante o horário de trabalho, com a finalidade de distribuir a energia nervosa e prevenir a fadiga ou a preguiça.
7. Uma nova profissão de artista do ambiente, cujo trabalho será criar um ambiente positivo em casa, no escritório ou loja, etc., com a finalidade de aliviar a monotonia de tais lugares.
8. Fechaduras com segredo para automóveis (sem chave), para a prevenção de roubos.
9. Uma nova profissão a ser conhecida como "artista de personalidade", cuja tarefa será ajudar homens e mulheres na seleção de roupas de corte adequado e harmonia das cores; esse profissional vai trabalhar em conjunto com lojas de roupas de alta qualidade, e seus serviços serão gratuitos para os clientes.
10. Secretário de pesquisa, cuja atividade será recolher e classificar dados sobre qualquer assunto.
11. Um clube campestre para pessoas com poucos recursos financeiros, equipado com praças para as crianças, babás e animadores competentes que irão assumir responsabilidade total sobre as crianças durante certas horas do dia ou da noite, a ser implementado em projetos habitacionais suburbanos como um incentivo adicional para as pessoas residirem lá.
12. Especialista em ideias para jornais, cuja atividade seria criar ideias novas e originais para vendas e campanhas publicitárias para pequenos comerciantes que não têm dinheiro para contratar especialistas caros; o serviço desse profissional seria gratuito para todos os anunciantes do jornal.

13. Uma área de acampamento de verão perto da cidade, onde as pessoas possam obter um terreno grande o suficiente para uma barraca ou pequenas casas portáteis e um jardim, com o aluguel dentro dos limites da população de baixa renda.
14. Um balcão de informações turísticas que forneceria dados de todos os locais de interesse nas proximidades onde os motoristas poderiam passar um dia ou o fim de semana, como mapas de estradas, literatura descritiva, etc., a ser operado pelas redes de postos de abastecimento como meio de aumentar seu negócio.
15. Um serviço de filmagem para produzir filmes curtos de crianças brincando (para preservar a memória de sua infância para os pais), festas de aniversário, casamentos, encontros comerciais e banquetes.
16. Máquinas de escrever para alugar em hotéis e em trens Pullman, com a ajuda de máquinas caça-níqueis.
17. Marmitas para trabalhadores de escritórios e fábricas, com comida caseira consistindo em uma dieta devidamente equilibrada de alimentos puros (essa atividade pode ser conduzida por uma dona de casa em sua cozinha). Vários clientes do autor atualmente empregam essa ideia de forma lucrativa.
18. Produção de tortas, pães e bolos caseiros, vendidos mediante um acordo regular com mercearias e lojas locais.
19. Livro de informações precisas para escritores principiantes, tais como assuntos sobre os quais escrever e como comercializar os manuscritos.
20. Casas flutuantes de veraneio que podem ser rebocadas por um automóvel, para alugar para motoristas que desejem passar

SE VOCÊ PRECISAR INSULTAR ALGUÉM, NÃO FALE, MAS ESCREVA – ESCREVA NA AREIA, À BEIRA D'ÁGUA.

uma parte do tempo na água, mas ao mesmo tempo ter o carro disponível para passeios em terra firme.

21. Serviço de cartazes publicitários para vitrines de lojas de varejo, mostrando epigramas interessantes em vez de fotos de notícias, que farão com que a multidão pare para ler.
22. Um conjunto de 52 mata-borrões a serem utilizados para fins de publicidade; cada mata-borrão terá um epigrama ou lema apropriado para o ramo do anunciante e será enviado para uma lista selecionada a cada semana. (Esse é um plano para habilitar uma gráfica a desenvolver um negócio de mata-borrões impressos.)
23. Máquina de bebida que sirva sucos frescos de vegetais todos os dias, com valor alimentício e sem conservantes ou adição de produtos químicos de qualquer tipo.
24. Placas para portas de escritório feitas de vidro removível, que possam ser levadas quando o locatário se mudar.
25. Uma câmara para a troca de ideias práticas de vendas entre os varejistas.
26. Um berçário doméstico, a ser conduzido por mulheres casadas que desejam uma fonte independente de renda, para atender mulheres que desejem deixar os filhos em mãos confiáveis.
27. Um brechó onde roupas usadas podem ser trocadas por outras roupas usadas.
28. Disponibilizar um endereço de Nova York para pequenas empresas e indivíduos de fora da cidade que desejem que sua correspondência seja enviada para lá, e depois reencaminhada, por causa do prestígio do endereço de Nova York, com uma taxa

básica de serviço de cinco dólares por mês para cada cliente. (Duzentos clientes dariam a uma pessoa uma renda substancial.)

29. Produzir filmes apenas para crianças, atraentes exclusivamente para a mente infantil, com enredos que eduquem e entretenham, a serem distribuídos a escolas públicas.
30. Quadrinhos para jornais que façam publicidade de alguma mercadoria e ao mesmo tempo entretenham, a serem vinculados em jornais locais por comerciantes que vendem o produto anunciado.
31. Um editor da Lei do Sucesso para jornais, que produza uma coluna diária com base no material da Lei do Sucesso em uma aliança de trabalho com o autor da filosofia.
32. Pés removíveis para meias-calças, feitos de material absorvente para manter os pés livres de transpiração, contribuindo assim para a vida útil das meias e a saúde e o conforto do usuário.
33. Gravatas reversíveis, feitas de dois tipos de tecido, proporcionando o benefício de duas gravatas diferentes.
34. Conjuntos especiais para homens compostos por camisa, gravata, meias e lenço combinando, em uma embalagem de bom gosto e vendidos a preços populares.
35. Tira de elástico presa na cintura das calças (por dentro), eliminando a necessidade de cintos ou suspensórios.
36. Menu do dia, composto apenas de alimentos saudáveis, a ser distribuído nos jornais.
37. Clube de cultura física, onde o exercício seja dado na forma de danças adequadamente projetadas, tornando-se assim um prazer ao invés de uma tortura.

38. Uma agência de serviço de vendas por telefone, proporcionando a corretores de imóveis, vendedores de carros ou de qualquer outro ramo compradores potenciais devidamente qualificados. (Esse plano pode ser realizado em qualquer cidade e tem possibilidades ilimitadas para a pessoa que entende como ter uma conversa preliminar de vendas por telefone.)
39. Informativos institucionais para empresas de pequeno porte, impressos em pequenas quantidades no mimeógrafo, a um custo muito menor do que o da impressão em uma gráfica. (Nota: essa ideia foi colocada em prática por dois jovens em Nova York, preparados para fornecer todos os impressos e demais materiais necessários para pessoas que desejem exercer atividade semelhante em outras cidades. Eles têm impressos adequados para praticamente todos os tipos de negócios, tais como bancos, seguradoras de vida, imóveis, lojas de varejo, etc. Seus nomes serão fornecidos aos interessados mediante contato com o autor deste livro.)
40. Organizar aulas do sucesso em empresas com o objetivo de ensinar os funcionários a aplicar a Lei do Sucesso em suas respectivas posições, a fim de que tanto eles quanto seus empregadores possam lucrar. (Nota: essa ideia está em prática atualmente. Irá fornecer emprego para milhares de homens e mulheres que irão se preparar para ensinar a filosofia da Lei do Sucesso.)

Pense nas possibilidades estupendas de realização de uma mente que consegue criar quarenta ideias únicas de fazer dinheiro em menos de dez minutos. Tal mente não tem limitações. A filosofia da Lei do Sucesso foi organizada com a finalidade de "intensificar" qualquer mente, fazendo-a utilizar seus poderes potenciais. Relatos de estudantes de todo o mundo mostram que eles têm experimentado resultados semelhantes aos descritos neste livro.

A lista precedente é composta por algumas das muitas centenas de ideias úteis que se desenvolvem a partir da aplicação do princípio do MasterMind no contato diário do autor com os alunos que vêm para as entrevistas referentes a seus vários problemas na vida. Essas entrevistas lançam luz sobre um lado interessante da natureza humana, já que abordam praticamente todo tipo de problema, que vão desde o homem que deseja melhorar a aparência e os hábitos de sua esposa modelo 1898 sem ferir seu orgulho até o homem que deseja encontrar uma maneira de aumentar a sua capacidade de ganho em alguns milhares de dólares por ano. Tal variedade de discussão traz um conhecimento sobre o animal racional chamado homem que não poderia ser alcançado de outra maneira. Quando homens e mulheres vêm ao autor e pagam uma soma substancial para que ele ouça seus problemas e ofereça planos para resolvê-los, não fazem qualquer tentativa de enganar ou de mostrar o seu melhor para causar uma boa impressão. Discutem suas fraquezas tão francamente quanto suas virtudes.

Para solucionar os problemas de seus clientes, o autor muitas vezes considera necessário reunir clientes diferentes em alianças empresariais e profissionais. Um homem pode ter uma invenção útil ou uma ideia para a expansão de um determinado empreendimento, mas não ter o capital necessário para promovê-la. Talvez outro cliente tenha condições de levantar o capital necessário. Os dois são apresentados e ensinados sobre como unir seus recursos com a ajuda do MasterMind.

Existe uma solução prática para cada problema humano. Quando duas ou mais pessoas sentam-se e concentram suas mentes a sério na solução de qualquer problema, em espírito de cooperação harmoniosa, métodos e meios que conduzem ao fim desejado surgem de forma milagrosa.

Nem todos os estudantes da Lei do Sucesso têm oportunidade de encontrar o autor para entrevistas pessoais, já que milhares deles vivem fora dos Estados Unidos. Esses alunos recebem ajuda pela aplicação do Questionário de Análise Pessoal, que traz para o autor uma imagem mental perfeita daquele que o preenche e, portanto, fornece os dados necessários a partir dos quais a solução de praticamente qualquer problema pode ser desenvolvida sem que o autor veja o aluno.

O autor está se preparando para estabelecer um analista e professor autorizado em cada cidade dos Estados Unidos e em muitas cidades de outros países, que irá ensinar pessoalmente a filosofia da Lei do Sucesso e atender os estudantes em entrevistas pessoais, assim como o autor faz em Nova York. Sem dúvida muitos desses professores serão recrutados na profissão do sacerdócio, que está em rápido declínio, uma vez que esses esplêndidos senhores têm a personalidade, a educação, a inteligência, o conhecimento da pedagogia e a compreensão dos problemas humanos tão essenciais para o êxito na interpretação da filosofia da Lei do Sucesso.

Outros professores serão recrutados nos setores profissionais e dos negócios. A filosofia será ensinada em todos os idiomas falados do mundo civilizado, o que requer professores e analistas de todas as nacionalidades. Os passos necessários a serem dados por aqueles que desejam se tornar professores e analistas serão minuciosamente explicados pelo autor mediante requerimento dirigido ao escritório de Nova York.

MENSAGEM ÀQUELES QUE TENTARAM E FRACASSARAM

O autor não ficaria satisfeito em enviar este livro para a sua missão de inspirar pessoas sem acrescentar este curto capítulo como uma mensagem pessoal para aqueles que tentaram e "fracassaram".

Fracasso. Que palavra mal compreendida! Quanto caos, sofrimento e pobreza provêm da má interpretação dessa palavra.

Apenas alguns dias atrás o autor estava em uma terra humilde nas montanhas de Kentucky, não muito longe da sua terra natal, onde um famoso "fracasso" nasceu. Quando ainda jovem, esse "fracasso" foi para a guerra com a patente de capitão. Seus resultados foram tão fracos que foi rebaixado a cabo e, ao final, voltou para casa como soldado raso. Estudou topografia, mas não conseguiu ganhar a vida nesse ramo e acabou humilhado ao ter os seus instrumentos vendidos para quitar dívidas. Em seguida estudou direito, pegou poucos casos e perdeu a maioria deles por incompetência. Ficou noivo de uma jovem, mas mudou de ideia e não apareceu para o casamento. Tentou a política e foi eleito para o Congresso por acaso, mas sua atuação foi tão tediosa que não causou nenhuma impressão favorável. Tudo o que tentou só trouxe fracasso e humilhação.

Então, um milagre aconteceu. Uma grande experiência de amor transformou sua vida. Apesar do fato de que a moça que despertou esse amor tenha vindo a falecer, os pensamentos remanescentes dessa experiência fizeram com que esse "ninguém" lutasse para sair do humilde papel de fracassado, e, aos 52 anos de idade, ele se tornou o maior e mais amado presidente que já ocupou a Casa Branca.

Homens são formados ou despedaçados de acordo com a utilização que fazem do poder do pensamento. O fracasso pode ser transformado em sucesso da noite para o dia quando alguém se inspira por uma grande motivação para ter êxito. Os oito motivos básicos que fazem os homens entrar em ação foram descritos em um capítulo anterior. Um deles é o amor.

O amor de Abraham Lincoln por Anne Rutledge transformou mediocridade em grandeza. Ele encontrou-se consigo mesmo a partir da tristeza que o assolou depois da morte de sua amada.

Elbert Hubbard definitivamente impressionou o mundo com a expressão da sua genialidade inspirado por Alice Hubbard, sua segunda esposa.

Henry Ford é o homem mais rico e poderoso vivendo atualmente. Teve de vencer a pobreza, o analfabetismo e outras desvantagens que o homem médio jamais enfrenta. Encontrou o sucesso por causa do amor inspirado por uma verdadeira grande mulher, sua esposa, mesmo que seus biógrafos nunca tenham mencionado o nome dela.

Cada automóvel, cada milhão, cada fábrica da Ford, e tudo o que Henry Ford realizou para o bem da humanidade pode ser devidamente apresentado como prova da solidez da filosofia da Lei do Sucesso, pois ele é atualmente o aluno mais ativo dessa filosofia. O material que fez dessa filosofia uma realidade foi retirado da sua vida profissional, mais do que de qualquer outra fonte.

A semente de todo o sucesso jaz latente em um motivo bem definido. Sem um desejo ardente de realização, induzido por um ou mais dos oito motivos básicos, nenhum homem jamais se tornará um gênio.

Motivado por um impulso sexual altamente desenvolvido, Napoleão tornou-se o maior líder do seu tempo. Seu fim indigno foi resultado da falta de observância de dois dos dezessete fatores do sucesso: a Regra de Ouro e o autocontrole.

Lester Park entrou no ramo de filmes 25 anos atrás, mais ou menos na mesma época em que o autor começou a organização do material para a filosofia da lei do Sucesso. O "milagre" que transformou Park de um autointitulado "fracasso" em um sucesso extraordinário foi descrito em uma página de editorial escrito pelo autor e publicado recentemente em um jornal de Nova York. O editorial está aqui reproduzido como fechamento apropriado deste capítulo:

OUTRO MILAGRE

Durante 25 anos tenho estudado, avaliado e analisado seres humanos. Minha pesquisa me colocou em contato com mais de 20 mil homens e mulheres. Duas pessoas se destacaram em nítido contraste no meio dessa multidão: Henry Ford e Lester Park.

A classificação geral de Ford, de acordo com minha última análise, é de 95%; a de Lester Park, de acordo com uma análise que acabo de concluir para ele, é de 94%. Analisei Henry Ford pela primeira vez há mais de 23 anos. Na época, sua classificação, considerando os dezessete fatores do sucesso, foi de 67%. Sua ascensão gradual de 67% a 95% foi uma conquista notável, mas nada comparado com a transformação ocorrida na máquina mental de Lester Park em um período de apenas algumas semanas, como mostra o gráfico de acompanhamento da sua análise.

Quando analisei Park pela primeira vez (como indicado pela linha pontilhada na parte inferior do gráfico), sua classificação geral foi de 45%. Menos de um mês depois, fiz uma segunda análise, e eis que ele havia saltado de "zero" a 100% em dois dos mais importantes dos dezessete fatores do sucesso e tinha conquistado avanços impressionantes em muitos dos outros fatores.

Um endosso arrebatador

O gráfico de análise que mostra as duas avaliações de Lester Park a respeito dos fatores que proporcionam mais poder e riqueza é um endosso arrebatador da crença que muitos filósofos têm sustentado: todo o sucesso é apenas um estado mental. O homem é alçado a grandes alturas do poder ou arremessado ao esquecimento completo unicamente pelos pensamentos que emite nas asas do éter.

Confinamento solitário

Lester Park era um dos mais ativos executivos da indústria cinematográfica dos Estados Unidos. Seu nome foi vinculado ao de outros homens que desde então fizeram grandes fortunas no negócio (negócio esse que muitos acreditam estar apenas no início). Mas alguma coisa "quebrou" na máquina mental de Lester Park. Ele perdeu o controle sobre si mesmo. Sua autoconfiança caiu para zero. Ele deixou de ter um objetivo principal definido. Ele se afastou do contato com outras pessoas de sua profissão, privando-se assim da maior de todas as Leis do Sucesso, a do MasterMind (uma mente composta por duas ou mais mentes trabalhando em perfeita harmonia para a realização de algum objetivo definido).

Durante anos Lester Park manteve-se, figurativa e literalmente, em confinamento solitário em uma masmorra escura. Essa masmorra era a sua mente, e ele mesmo carregava a chave da porta.

NAPOLEON HILL

Nova York

AUTOR DE

A LEI DO SUCESSO

Certificado de Análise

EMITIDO PARA
LESTER PARK
Nova York

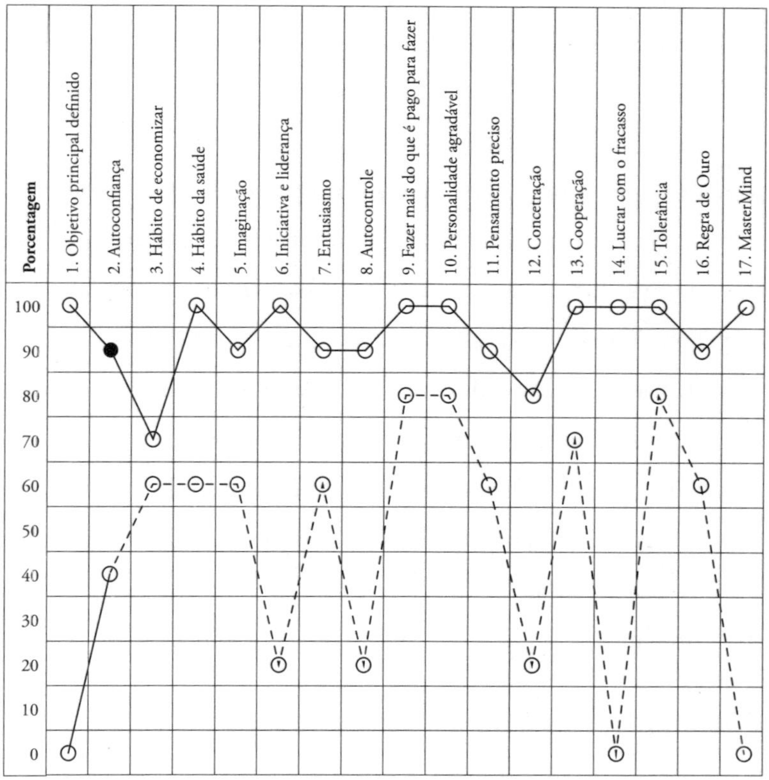

Este documento certifica que a análise acima baseia-se com exatidão nos dados fornecidos em 5 de março.

As linhas tracejadas indicam a pontuação do Sr. Park antes de usar a Lei do Sucesso.

A roda do destino

Em setembro de 1928, dei uma aula sobre a Lei do Sucesso no Waldorf-Astoria Hotel, em Nova York. Devido a uma bizarra volta da roda da oportunidade – ou seria a "roda do destino?" – Lester Park foi um estudante naquela classe. A transformação que teve lugar em Lester Park ocorreu em uma fração de minuto, durante a primeira meia hora da minha primeira aula! Em uma única frase eu fiz uma afirmação que serviu de chave para abrir a porta da masmorra onde ele havia se confinado, e então ele saiu, pronto para pegar as rédeas onde as havia deixado vários anos antes.

A transformação não foi imaginária. Foi real e completa. Duas semanas após a luz ter brilhado novamente em seu cérebro, Lester Park havia finalizado todos os preparativos para a produção de um dos maiores filmes de sua carreira. Quando digo "finalizado todos os preparativos", é exatamente isso. O dinheiro para a produção foi oferecido a ele por mais de uma fonte. Amigos que ele havia conhecido no auge da carreira como produtor de repente apareceram em cena como que por magia e o cumprimentaram como irmãos que não se viam há muito tempo! *Corianton*, o filme da sua vida, tornou-se uma vívida e pulsante realidade e está atualmente nos preparativos para produção.

Um milagre moderno havia acontecido

Esse milagre traz grande alegria ao meu coração, porque prova mais uma vez que a cria do meu coração e do meu cérebro – a filosofia da Lei do Sucesso – está destinada a emancipar milhões de Lester Parks das masmorras escuras do desespero nas quais eles mesmos se confinaram. Mais de vinte anos atrás, Andrew Carnegie deu a ideia que me lançou em um período de trabalho e pesquisa que durou quase um quarto de século. A ideia foi o eixo em torno do qual a filosofia da Lei do Sucesso foi construída.

Eu vivi para vê-la trazer a liberdade para não menos de dez mil pessoas, e não tenho como saber para quantas mais ela trouxe liberdade semelhante, pois a filosofia é hoje estudada por milhares de alunos em quase todos os países civilizados da Terra, com os quais não tenho possibilidade de entrar em contato pessoalmente.

A profecia cumprida

Anos atrás, quando previ que Henry Ford um dia se tornaria o homem mais poderoso do planeta, a declaração me causou grande constrangimento, pois Ford ainda não havia mostrado sinais de que se tornaria o homem mais rico do mundo. Me mantive firme na previsão e vivi para vê-la tornar-se mais do que justificada.

Outra profecia

Agora prevejo publicamente que Lester Park se tornará o mais bem-sucedido produtor cinematográfico da indústria. Tenho o melhor dos motivos para acreditar – até mesmo para saber – que essa profecia está bem encaminhada para a realização e estou disposto a assumir total responsabilidade por ela.

O mundo científico está à beira da maior de todas as descobertas e, quando a natureza dessa descoberta for anunciada, ofuscará tudo o que a humanidade já aprendeu sobre as leis físicas da natureza e das coisas materiais. A natureza dessa descoberta foi discutida por este escritor com os falecidos Alexander Graham Bell (inventor do telefone) e Elmer R. Gates dezenove anos atrás, mas o princípio a que me refiro não havia sido então suficientemente compreendido para permitir ao homem aproveitá-lo. Dezenove anos de experimentação mudaram isso, e o mundo está agora praticamente de posse do conhecimento de uma lei que permitirá que qualquer homem mude o curso de seu destino à vontade.

Estude o gráfico da análise de Lester Park e você poderá ter uma ligeira ideia do que o homem pode fazer por si mesmo quando aprende a se harmonizar com as leis naturais.

— NAPOLEON HILL

Nota do editor

A declaração acima foi feita sob a assinatura pessoal de Napoleon Hill, autor da filosofia da Lei do Sucesso. Aqueles que não conhecem Hill ou sua obra têm o direito de saber que ele está envolvido há quase um quarto de século em experiências com a mente humana. Em sua pesquisa, ele teve ajuda preciosa dos cientistas mais conhecidos do mundo, homens como o falecido Alexander Graham Bell, Elmer R. Gates, Charles Steinmetz e Luther Burbank. Em uma recente série de artigos na revista *McClure*, Henry Ford admitiu publicamente que a filosofia delineada nas dezessete Leis do Sucesso de Hill foi o fundamento de sua ascensão ao poder e à riqueza.

Hill é editor do *New York Evening Graphic*, e sua "Coluna de Sucesso" tem aparecido em outros jornais. Com essa coluna ele tem reacendido o fogo do entusiasmo e da ambição na mente de milhares de homens e mulheres que haviam perdido as esperanças de alcançar o sucesso financeiro.

O falecido Elbert H. Gary, ex-presidente do conselho da United States Steel Corporation, estava preparando, antes de morrer, a apresentação do curso da Lei do Sucesso a todos os funcionários da empresa que sabiam ler inglês, a um custo total estimado em US$ 150 mil.

Cyrus H. K. Curtis, proprietário da revista *Saturday Evening Post* e de uma das editoras de maior sucesso do mundo, endossou abertamente as descobertas de Hill e pediu permissão para reimprimir material de uma das lições no *Philadelphia Public Ledger*.

William Howard Taft, ex-presidente dos Estados Unidos, aprovou a filosofia em uma carta muito entusiasmada que Hill recebeu dele.

Edwin C. Barnes, parceiro de negócios de Thomas A. Edison, não só aprovou a filosofia da Lei do Sucesso e deu ela o crédito por permitir que se aposentasse com toda a riqueza que poderia desejar aos 45 anos, como também deu um endosso pessoal fantástico a Hill, a quem conhece há vinte anos.

A partir disso, pode-se dizer sem exagero que Napoleon Hill é um dos grandes pensadores de nossa época – porque nenhum homem poderia merecer o respeito e assegurar o endosso dos homens que o têm apoiado a menos que fosse um sólido pensador.

Esta é a era da ação

Resumindo os dezessete fatores do sucesso descritos neste volume, o leitor poderá compreender melhor a filosofia inteira, mantendo em mente o fato de que o sucesso é baseado em poder e que o poder é o conhecimento expresso em ação. Todos os principais estímulos que despertam a mente e a colocam em ação foram descritos neste volume. A principal finalidade dos dezessete fatores do sucesso é fornecer planos práticos e métodos de aplicação desses estímulos.

Uma análise cuidadosa revelou o fato surpreendente de que um único incidente ou experiência muitas vezes resulta em uma influência tão pronunciada em uma mente mediana que o dono dessa mente supera em realização outros que têm mentes superiores e mais bem treinadas.

O HOMEM QUE SEMEIA UM ÚNICO PENSAMENTO POSITIVO NA MENTE DE OUTRO PRESTA AO MUNDO UM SERVIÇO MAIOR DO QUE AQUELE PRESTADO POR TODOS OS QUE SÓ CRITICAM.

A Lei do Sucesso, como descrita nos dezessete fatores enumerados neste volume, proporciona todos os métodos conhecidos de estímulo mental que inspiram o indivíduo com grande ambição e fornecem a coragem essencial para a realização do objeto dessa ambição.

Dificilmente é o bastante dizer que um homem conquista mais se empreende mais. O autor se comprometeu em oferecer ao indivíduo um estimulante mental prático, ou fonte de inspiração, que pode ser utilizado para construir maior ambição e fornecer o motivo para a ação.

Noventa e cinco por cento da energia da mente humana permanece passiva ao longo da vida. O principal objetivo dessa filosofia do sucesso é fornecer estímulos que despertem esse percentual de 95% de energia latente e o coloquem em funcionamento. Como? Plantando na mente um motivo forte que levará à ação. Intensificando a mente pelo contato com outras mentes e fazendo-a vibrar em um plano superior.

Este livro descreve de forma sintética a maioria dos dezessete fatores de sucesso. A apresentação mais extensa dessa filosofia, em oito volumes,* dedica muito mais espaço a cada um dos outros dezesseis fatores do sucesso, como aqui acontece no capítulo sobre o MasterMind. Nos volumes mais extensos, os temas do pensamento preciso e do entusiasmo foram tão totalmente discutidos que o método exato de estímulo da mente fica claro. O autor lamenta que as limitações deste volume impossibilitem uma descrição mais completa do exato procedimento de aplicação das fontes conhecidas de estímulo mental.

O leitor que desejar dados mais detalhados sobre a Lei do Sucesso ou quiser fazer perguntas a respeito de métodos para aplicar a filosofia a seus problemas, pode se dirigir ao autor com esse propósito. Caso deseje um serviço mais pessoal do que aquele proporcionado por correspondência, o leitor deve fazer uma solicitação ao professor mais próximo da Lei do

---

* Lançado e um só volume no Brasil como *O manuscrito original – As leis do triunfo e do sucesso de Napoleon Hill.*

Sucesso, cujos nomes e endereços serão fornecidos mediante pedido. Na medida em que o tempo disponível permita, o autor ficará feliz em ajudar qualquer leitor deste livro a interpretar e fazer uso prático dessa filosofia de modo adequado.

Fascinante, provocativo e encorajador, *Mais Esperto que o Diabo* mostra como criar a sua própria senda para o sucesso, harmonia e realização em um momento de tantas incertezas e medos. Após ler este livro você saberá como se proteger das armadilhas do Diabo e será capaz de libertar sua mente de todas as alienações.

"Medo é a ferramenta de um diabo idealizado pelo homem."